未来への予言

日本と隣国・これまでとこれから

福島 忠和
Tadakazu Fukushima

目次

第二章　これまでの隣国

第三章　これからの日本

第四章　これからの隣国

まえがき

ジャパン・アズ・ナンバーワンと言われて久しいが、我が国は今がナンバーワンだと思う。過去を振り返れば終戦から七〇年余り、成熟した資本主義国として現在に至っている。仔細に見ればこれまでの変遷は、驚くべきものがある。これまで原爆の被爆、阪神大震災や東日本大震災による原子力発電所の被災など、他のどの国もいまだ経験したことのないような特異な状況から不死鳥のごとくよみがえった。これらは、皮肉にもわが国に続く先進国が予見可能な成功事例として役立つはずである。

新型コロナウイルスが世界を駆け巡っている折、日常の生活に沈滞ムードと、いつ感染するかわからない不安で先行きが見通せない。目に見えないウイルスの脅しは、経済全体にいずれボディブローのように効いて来るだろう。

そんなコロナ巣ごもり生活のなかで閃いたのである。

それは、以前ダビングしておいた『世界遺産』のビデオテープに創作のヒントがあった。

中央アフリカでの「祈祷師」の映像である。占いや祈祷は、世界共通のものであるが、なぜかそのシーンに釘付けになったのである。

そこでは、祈祷師は各集落を巡り、雨乞いや作物の収穫などの吉兆を占っている。この国では、祈祷師は「神」のような存在であり、尊敬され鄭重に扱われている。

映像では、彼が来ると集落の有力者をはじめ皆が挨拶をしている。あらかじめ準備していたのか、大勢が広場に集まり、祈祷が始まるのを今か今かと待ち望んでいる。皆が注目する中祈祷の合図があり、彼は、汚れた革袋に包んだものをおもむろに地面にばら撒くのである。小石や貝殻、動物の骨など訳の判らないガラクタ様の物が散乱している。

彼はその散乱した状態によって、あたかも先を予見するかのように「神の予言」をするのである。言葉はわからないが多分「よいお告げ」が出ました。来年は、農作物も良く実り、獲物も沢山獲れますので安心してください、とでも言っている風である。取り巻きは、その言葉に感動し、長老が感謝の言葉を述べ、皆でお礼とお祝いの踊りを披露している。もちろん彼も彼等と一緒に踊っている。足を踏み鳴らす様な激しい踊りの後イベントは終了し、彼はまた別の部落へ「祈祷の旅」に出かけていくのである。（すこし話しが長くなったが）

そこで、私もこの祈祷師になったつもりで「我国の未来」について、これまでの七〇年余りの知見にもとづき予言してみたいと思った。

ただ、専門的あるいは学術的な予測は、多くの賢者諸氏にお願いすることにして、私自身がこれまで学習し、体験した雑多な知識を全て空中に放り投げて、落下した状態を動物的本能と嗅覚で予言してみた。

独断と偏見に満ちたものと批判されるかも知れないが、五〇年後には、私自身は存在せず、既に天国とか言うところにいる。それ故、批判や苦情はもう届かないし、もちろん電話も通じない。予言が当たっていればこれを読んだ人には儲けものであり、なるほど先見の明があると納得されるかもしれないし、そうでないかもしれない。

なお、文中において発生した事変などの再掲載については、関係する国が直接影響を受けることから、説明のためにあえて挿入した。また、これまで（二〇二〇年まで）の文中の数値等については、概ねネット情報のため誤差や誤りも予想される。これから（二〇二一から二〇七〇年まで）の状況について、これまで（二〇二〇年まで）と類似した表現や重複している事例があるのは、その間時代の変化が少ないことの表れである。また、文中の氏名について敬称などは省略した。

二〇二一年九月吉日

福島忠和

第一章　これまでの日本

世襲議員の　政治

経済は一流、政治は三流と言われてきた日本、それは日本人の意識構造にその源を発するのではなかろうか。

大和朝廷から江戸時代までの、そして明治維新から現代に至るまでの歴史の中から糸口が見つかる。前期では、早い時期から国家が形成され、幾多の変遷を得ながらも独立国家として存在したことは、当時の世界情勢からみても貴重な存在であったと思う。後期、即ち明治維新以降は、近代国家の出発点となったのであるが、これが完全な市民革命でなかったにしろ、極東の小島の国が世界に飛躍する転機になったことは事実である。

文明の発達は、戦乱とともに加速されて日本人のナショナリズムも謳歌されたのであるが、それは外国の文化や技術を吸収することで大きく変化することになった。そして、それまで鎖国政策を採ってきた我国との大きな違いに、戸惑いやギャップの大きさに驚かされることになる。

しかし、当時の為政者の賢明さにより、西欧の産業技術を吸収しようと努力したことが現在に及んでいる。

それ以降産業は、日本人の持ち前の工夫と努力により、西欧に追いついたのである。

一方、政治はどうかと言うと鎖国政策はもとより、元来これまで外国からの侵略もなく、外国との交渉も余りせずに国家を運営できたことが災いになり、外交下手にならざるを得なかった。だが、明治になると強引な開国と共に外国文化をうけ入れるには、相手との交渉が必要になり、やむなく一定の外交力が求められることになった。外交決裂には、脅しや戦争という代償も付いてきた訳である。

これまでの、国内事情とは大きくかけ離れた雑多な民族や考え方の相違にも戸惑いながら対応し、努力を重ねてきたものと思う。

度重なる戦勝に特異なナショナリズムが鼓舞されることにもなった。しかし、これが太平洋戦争への導火線になり、遂にはアメリカによる原爆投下が起こるべくして起こった終着点であった。

戦後教育は、アメリカの介添えによる新日本憲法の制定により、一八〇度転換することになった。一時は、革命かと危ぶまれたマルキシズムも台頭することなく、世界情勢の中でその力を次第に弱めることとなった。

また、日教組の執拗な抵抗もあったが、概ねアメリカや西欧の民主主義と言われる流れに沿うものとなった。しかし、戸惑いの中の民主教育は、さながらアメリカが自由と民主主義のスバラシイ国だと言う話を信じこまされて来たが、それは薄っぺらな民主主義であった。このことによって、日本人本来の意識は、少なからぬ影響をうけてきた。

即ち、新しい憲法により、わが国は去勢された犬のようになった戦後の政治家の姿と重なる。そして、多くの自虐史観を持つ政治家や国民を抱えることにもなった。

戦後教育が政治家を規定したように、新しい指導者は押しなべてスケールの小さい小市民的なサラリーマンのように成り下がった。そして、強力な地盤、看板、カバンを持っただけの、実力の伴わない世襲議員も多く輩出した。

ここでは、広く世界を知り、日本の行く末を案じることや外国と対峙することもしないで、身内の中でいかに自分の立場を守るかに力点が置かれてきた。それは、政治を金儲けの手段と考える輩や仕事を仕事と考えない烏合の衆である。

そのため、ソ連による北方四島の不法占領後の交渉、韓国による竹島の不法占拠などにまともな対応が出来ず、国の主権が脆弱に過ぎたのである。今また、中国により尖閣諸島さえないがしろにされようとしている。わが領土を守ることさえ出来ないのに、どうして国民を守ることができようか。すべては国政に関わる為政者の無策や怠慢にほかならない。

しかし、考えようによっては、我々は余りにも政治家に対して高望みをし、期待するがために事が成就されなかった時の落胆が大きい訳である。そのため、我々は政治に対しては、理想や真理をはなから求めないことである。

例えば、成人の年齢引き下げに伴う法令などの改正のアンバランスである。

選挙権や婚姻、飲酒、ギャンブルなどについて、一貫性が無く継ぎはぎだらけで、その変更理由は子供じみている。本当に、真剣に議論が尽くされたのかどうか疑わしい。

これらの権利は、平均寿命が延びていることと精神年齢を斟酌すると、むしろ引き上げても良いものである。それは、これまでの平均寿命の伸展は、五〇歳プラス三〇歳ではない。壮年から老年部分だけが伸びる訳ではなく、壮年までも伸びているのであって、全体として八〇歳になるのである。

ひょっとしたら、旧いものを変えることや世界に足並みを揃えることが進歩に繋がるとでも考えているのだろうか、不可解である。

戦後の政党政治は、必ずしも民意に添ったものではなかった。一時中道左派勢力の勃興があったが、二大政党政治に移行するには、状況や適応力が十分ではなかった。そのため、保守勢力が力を温存し、概ね一貫して主導権を握ることになった。

政党の政権構想が民意を集めるだけの力量がなく、政権担当能力不足と相まって、保守政権に実権を預けることに終始してきた。

戦後七五年、良くも悪しくも、我が国は余りにも政権交代が激しく、宰相の名前を覚える間も無い程である。そして、その任期は諸外国と比べても極めて短命であり、資質においても決して誇れるものでもなかった。しかし、少ない中にも「政治家」と呼ばれるまともな人も活躍したのは喜ばしい。

一方、多くの政権は、我が国の世界における地位や名誉を傷つけ毀損して来たこともまた事実である。しかし、そのことを自覚し反省するような政治家は誰一人としていない。

時を戻して、主な政権の有り様をみてみると、一九五七年には、日米安保体制の改定を巡る政治紛争のもと、岸信介が戦後体制の転換に着手した。その後、一九六〇から七二年には、池田勇人、佐藤栄作、大平正芳、宮沢喜一などの大蔵官僚により、自民党政権を支え、所得倍増計画など経済発展に大きく貢献した。

また、戦後の農地解放による地方の自作農などの支持を基盤に、日本列島改造計画に苦慮した、田中角栄も有力メンバーの一人であった。

この時期は、戦後体制の安定と高度経済成長に支えられながら、憲法九条によって平和国家を喧伝することで、安保外交を展開してきた。

一方、アメリカにとっても我が国は、冷戦構造においては、極東での自由主義社会の陣営として必要不可欠の存在であり、我が国の経済発展は、アメリカにとっても決して非難される事ではなかった。

一九八〇年代には、橋本龍太郎、一九八二年には、中曽根康弘が行政改革として三公社五現業の民営化、即ち日本電信電話公社（現ＮＴＴ）、日本専売公社（現

ＪＴ）、日本国有鉄道（現ＪＲ）などを推進した。中でもＪＲについては問題含みであった。と言うのは、都市圏と北海道などの地方とでは、利用者や効率の面などで状況が大きく異なっており、経営面に於いて大きな格差が生じることとなったのであるが、これの是正措置が十分でなく、地域の発展はもとより、会社の存続さえも危うくなっている。

結果的には、「角を矯めて牛を殺す」ということになったのであるが、時の流れで、今では、一定正しかったように誤って認識されている。

これまで、長い年月と多大な費用をかけて営々と築いてきた鉄路が廃止され、過疎の町での唯一の足を奪うことで、寒村の淘汰を進めているのである。

地方創生の掛け声は、何の事かと思わざるを得ない。

二〇〇一年には小泉純一郎の改革の名のもとでの「ポピュリズム（大衆迎合主義）」が広がり、グローバル（包括的）資本主義が無制約に展開することになった。

ここでは、利潤追求の自由化が中心となり、無差別な市場原理や競争原理が尊重され、これに反対するものは守旧派のレッテルを貼られ、攻撃を受けたのである。それ故社会の格差と貧困が拡大した。

公共的社会資本は、万人に対して公平、平等に公共的団体によって執行されなくてはならないにも関わらず、公共的な社会資本にも市場原理を導入し、社会インフラの安定的な維持管理さえも危うい状況を発生させたのである。遂には、JRや郵政事業の民営化に至るものであった。

しかし、これらが「改革」という名のもとに誤った認識で実行され、そのための弊害がじわじわと現代に及んでいる。また、これらを改革することで、自ずと政権内部に於ける公共投資の無駄や業界との癒着、既得権益などの汚職が表出されることにもなった。

二〇〇〇年には、野党第一党となった民主党は、これらの族議員や官僚の既得権益や汚職を攻撃することで、二〇〇九年には、遂に政権交代を果たしたのである。しかし、鳩山由紀夫や菅直人による政権運営は、当初は党の掲げるマニフェスト（公約）により、既得権益の是正や事業仕分けによる無駄な公共事業の廃止など華々しくスタートを切ったのであるが、いざ国政を担ってみると、やり方や方向性に一貫性がなく、行き当たりばったりで、その方針も極めて安定性に欠けるものであった。

二〇一一年には、東日本大震災が発生し、これに伴う原発事故は、我が国を震撼させ、生き地獄に突き落としたのであるが、その対応は、極めて稚拙で楽観的なもので、被害を更に拡大させることにもなった。

党自らが内在した政権運営の未熟さや政策のまずさから、たちまち二〇一二年に政権を奪還されることになった。

二〇〇六年に政権についたものの、持病により途中で政権を放棄した安部晋三が図らずも再度選任されることになった。それ以降野党の存在感は希薄になり、一党優位体制が続いており、政治の変化に期待しない人が多くを占めている。

戦後多くの政治家が国政に関わってきたのであるが、これまで政治に余り貢献しなかった人、出来なかった人、あるいは、むしろ国益に反する人も少なくない。

ナンバーワンの　経済

戦後、世界に類を見ない発展で世界を驚かした我が国も、アメリカに追随するかのように、資本主義の成熟期に差し掛かっている。今後飛躍的な発展は望めないが、まだ可能性は残されている。それは、これまで培ってきた技術の蓄積に更に磨きをかけることであり、新たなイノベーション（技術革新）に傾注することである。工業、特にIT技術の発展が我が国の行く末を決めるだろう。

概して、我が国は、木を見て森を見ずの悪癖から脱しなくてはならない。それは、生み出した新しい技術やアイデアを上手く活用していないことである。

物やサービスが行き渡った社会では、慢性的な需要不足となり、物が売れなくなる。そのため、企業は、リストラや雇い止めで経費を削減するので人が余ってくる。完全失業率もアップし、景気は停滞、人々は将来不安から、金はあるのに物を買おうとしないで貯蓄する。これに対して、政府は税の軽減や金利政策などで景気を刺激するが、なかなかうまく行かない。それは、いずれの政策も需要を喚起するのには十分でないことによる。政策判断の難しさはあるものの、現状認識の不足や政治判断の誤りに帰することも多い。

これまで、グローバル資本主義は、新自由主義と呼ばれる政治家や経済学者、エリート官僚などによって長い間信奉されて来たのであるが、結果的にそれらは大きな誤りであったと言わざるを得ない。しかし、今なお新自由主義者は自由貿易が成長に繋がると信じており、声高に喧伝している。一時的には、雇用も創出され、富も蓄積されたことも過去にはあったが、それが全てではなかった。規制なき自由貿易は、経済が過度に複雑になり不安定になった。

また、一定のルールのもとに安定化を図って来たのであるが、短期的な成果を求める余り、設備投資や研修などが疎かになった。

これまでの歴史からみれば、アメリカも日本も国による保護制度が成長を育んで来たことを忘れてはならない。かつて、我が国の護送船団方式を悪しき慣例のように非難していた政治家や経済学者も存在した。

ＷＴＯ（世界貿易機関）や世界銀行は、今なお同一の考えを持っており、このため、新興国は保護的な産業政策が出来なくなっている。即ち、規制緩和の圧力により、グローバル化を強制されているのである。

一八七〇年から一九一四年、第一次世界大戦前には第一次グローバル化の時代と言われたが、二〇世紀前半には戦争と恐慌によって終息した。

資本主義は、国家というガバナンス（統治）を発展させて初めて機能するものである。グローバル資本主義・新自由主義は、社会の格差を広げ、社会のあり方を崩壊させ、経済成長さえも実現しない。しかも、絶えず危機を発生させるものである。そんな問題だらけのものを、今なお正しいものと支持し続けている為政者がいるのは不思議である。

実は、彼らは、新自由主義を信じているのではなく、なすべき統治を放棄しているだけではないのか。それを「自由放任」という理論で正当化しているだけと考えざるを得ない。

今後世界経済は、中国とＥＵ（欧州連合）という二つの大きなリスクを抱えることになる。

特に中国は、近年の不動産バブルの加速とシャドウバンキング（影の銀行）の問題、加えて所得格差の拡大に伴う社会不安や国内での騒動など、情勢は極めて流動的である。

既に住宅や設備への固定資産投資が四〇から五〇％にもなっており、共産党の開放の名のもと急激な工業化を目指した過剰な投資が、リーマンショックによりその販路を失うことで、経済成長に急ブレーキがかかっている。

党は表面的には統計上高い成長率を維持していると喧伝しているが、統計自体極めて怪しいものである。加えて高齢化のスピードも加速しており、社会保障には到底対応できない人口規模である。

世界の工場として、ＧＤＰ世界一になると広言しているが、内実は極めてバランスを欠いたものである。

一方、教育に於いては、やっと初等教育が充足されるようになった状態であり、とても世界をリード出来る様な国ではない。

また、隣国のインドの状況は、中国より悪いし、経済も減速している。

ＥＵについては、もはや通貨の平価変更もできないことから生じるＥＵ内に於ける各国の苛烈な競争によって敵対的状況にある。中でもドイツはＥＵ内に於いて覇権大国として君臨しており、南欧のギリシャ、スペインなどは保護領の如くである。

一方、我が国はと言うと出生率の低下が大きなリスクである。西欧とは極めて異なった資本主義モデルであり、諸外国から見ればかなり健全な経済状態にある。勤勉な国民性とともに世界をリードできる科学技術の保有国であり、世界を牽引するだけの力を秘めている。

今後は、我が国の立ち位置を確かなものにするとともに、先進国としての我が国の意志を世界に発信する主導的な役割が求められている。

政治主導の政策が推進されているが、その為政者の力量が今後試されることになる。

政治が経済を牽引するのは必要であるが、それはあくまでも経済の合意形成の上のものである。政治によるリップサービスや独善は極力慎まなくては、道を誤ることになる。

近年、情報漏えいが言われているが、それは今に始まった事ではない。

日本の有名大学の留学生や大学院を卒業した優秀な技術者などが中国で活躍している。人は、えてして正義や倫理感を云々するけれども、心の内では待遇や金銭的な欲求に負けるものである。

ここでは、「知的財産権」が遵守されているどころか、ダダ漏れである。彼の国は、国家的プロジェクト（計画事業）として情報や技術を窃取する法、即ち、「国家情報法」によって、留学生や研究者をして強制的に諜報活動に協力させているのである。

結果的に我が国は、血税を使って中国の発展や世界覇権、軍備増強に大きく貢献していることになる。

このことは、中国の深センの経済発展の様子を見れば分かる。雑多な零細企業が、一獲千金を狙って雲集して、玉石混交の様相を呈している。

深センは約四〇年前には何も無かった寒村で、現在は改革開放政策による特区である。当初は模倣品、いわゆるニセ物ばかりが氾濫する一大工業集積地であったが、いつの間にか使用に耐える半オリジナル製品も作られるようになった。

もの作りで一番簡単で手っ取り早いのは、模造すること、即ちニセものを作ることである。

今まで単なる製品の組み立ての受託企業が、いつの間にかＩＴ関連の先進企業に仲間入りしている。言わば軒を貸して母屋を盗られている風である。

そして、先進国の技術を踏み台に、その上に新たな革新的技術を積み上げており、ＩＴ（情報技術）、ＩＯＴ（モノのインターネット）へのイノベーションは、すさまじいものがある。そして、これらのイノベーションを支えているのは他でもない、我が国の半導体や精度の高い部品などである。

外国製品、特に中国製品の品質向上の下支えとしてのサプライヤー（提供者）であり、結果的に我が国はその地位を奪われた、言わば下請け企業である。そして、この街は今や中国のシリコンバレーと呼ばれている。

一方、知的財産権をないがしろにされていることについては、その違法を声高に反論し訴えなくてはならない。しかし、これ等に反論や訴訟が極めて少ないことは非常に残念である。多分、面倒なことに関わりたく無いと言う小心な島国根性である。我が国特有のナーナーで相手を忖度していては、百戦練磨の世界と渉りあう事など出来はしない。何事に於いても平和裡に治める事など皆無である。昔の侍の矜持が懐かしい。

これからは、「人治国家」と「法治国家」の二つの大きな戦いとなるだろう。

そして、「法」や民主主義が正義であるのは誰の目にも明らかである。しかし、勝つか負けるかとなると疑わしい。これまで、必ずしも正義が世界を支配しなかった歴史がある。即ち力が正義として扱われてきたことだ。

危機管理無き　防衛

我が国は太平洋戦争で世界初の原爆被爆国となり、多くの市民が犠牲になった。アメリカによって、悉く戦力を奪い取られ、新しい憲法のもとその芽も摘み取られてしまった。世界的にも数少ないといわれる平和憲法だが、これが足かせとなっている。

中国をはじめ、インド、北朝鮮など新興国が軒並み既に核を所持することになった。

日米安保条約により、これまでアメリカに従属したような立場に置かれているが、日本との安全保障は、米国にとっても必要なのである。即ち、アジア・太平洋における戦略的有意である。

戦後七五年、この条約により駐留米軍の庇護のもとにある。しかし、世界の流れや情勢はいつ大きく変動するか見通せず、互いに疑心暗鬼の中にある。

我が国に隣接する国々も一様でなく、異なる体制、貧富の拡大によって混乱の末に瓦解、滅亡することも考えられる。

特に韓国、北朝鮮、中国、台湾、インド、パキスタンなどはアジアの火薬庫である。事あると、忽ち難民が我が国に押し寄せることになり「平和憲法」など何の力にもなり得ない。

自主独立の軍備があって、初めて平和が保全できる。いつまでも、アメリカをあてにしているようでは、持続的な平和は覚束ない。

今も、世界は止め処も無い軍拡競争に突入している。これが、いずれ国の分裂、崩壊や新たな独立を誘引し、戦乱の悪夢が現実となるかも知れない。

これまでの歴史をひも解けば、自ずと想像できる。歴史は繰り返すことを。どの国も、戦争は望むものではないが、起こるべくして起こるのである。これらを予想しての戦略や備えが大切である。国や財産を守れないようでは、健全な国家とは言えない。

現在のアンチ　ミスィル　ミスィル（ＭＤ、ミサイル防衛）のイージス艦では、不十分である。専守防衛といえども敵基地攻撃力は最小限必須である。加えて、危機管理の充実は急務であり、これらに係る「有事法制」の確立が必要である。

現代、自衛隊員は、志願制のため人材確保に十分対応出来ていない。隊員の充実はもとより、予備自衛官制度の更なる拡大が必要である。例えば、外国の事例のように、満三〇歳までの三年間全員（主に男子）に拡大しても良いだろう。

平和と安全と水は只であるような能天気なことを言っているようでは全く話にならない。

危機管理は、実践であって理論ではない。

先般、イージス・アショアーの件で極めて稚拙な話があった。国内にこれを設置する計画であるが、これを発射するとその残余部、ブースターなどが付近住民に危害を加えるので計画変更するとの事である。そんな当たり前のことを堂々と正論のように語っている防衛大臣がいる。当然自国民にも多少の危害も予想される。そんな些細なことを恐れていては、敵基地攻撃も迎撃も出来はしない。

戦争とは、生きるか死ぬかの事である。それとも、別の理由によりイージス・アショアーの設置を見送るための言い訳なのか不明であるが。もし、前者の理由であるなら、こんな幼稚な大臣が極めて大切な国の防衛に携わっているかと思うと何とも心細いし、情けない。我が国の大臣は、押しなべてこの程度ものかと唖然とする。

なお、ＭＤであるイージス弾道ミサイル防衛システムの配備について、種種検討されているようであるが、海上であれ陸上であれ、余り役に立たない代物である。まず、迎撃率が低いこと。多数のミサイルに対応できないこと。新たな極超高速ミサイルに対応できないことなどである。いずれ、使うことなく早晩鉄くずになるだろう。

戦略上、敵のミサイルやロケットが飛んでくるのを待って、迎撃するのは何とも受身で不利であるが。少なくとも発射された時、直ちに敵基地の攻撃に移らなくてはならない。攻撃が最大の防御である。

現代、東アジアの軍事情勢は、極めて危うい状況にある。今後、中国、北朝鮮、ロシアは、何か事ある毎に軍事力を見せつけ、核をちらつかせながら圧力を掛けてくるだろう。その時に我が国はいかに対応するのか。アメリカの核の傘を当面借りるにしても、降りかかる火の粉は自分で払うと言う強い意志と戦力が求められる。

我が国が自立し、四周の核保有国から国を守るためには「核武装」を前提に安全保障を再検討しなくてはならない。ＮＡＴＯが導入しているニュークリア・シェアリング（核分担）という方法も考えられる。即ち、米国から「核」を借りるのである。米国が承認するかどうか分からないが、多分了承するだろう。

非核三原則は理想的ですばらしい様に聞こえるが現実的でない。絵に描いた餅である。いざと言う時に何の役にも立たない。

重厚長大から軽薄短小の　工業

重厚長大型工業はおしなべて低調である。特に造船、製鉄、重電機等である。

これまでの日本の独壇場であった各種家電は、中国や韓国、東南アジアへの工場進出により、国内生産は空洞化している。技術も既に中国等に窃取され、あるいは移転されその立場は逆転している。

「知的財産権」など考えない国で事業を行うことは、最初からリスクがある。中国で起業し、成功した企業、そうでない企業も等しく、いずれ全てを没収されて撤退せざるを得ない状況は、二、三の例を示すまでもなく明らかである。

はなから、「法」の支配の無い国での操業は、いかにリターンが大きかろうと危険である。目先の利益に捉われずに将来性のことを考えて熟考、再検討する必要がある。

なぜなら、彼の国は一〇〇年スパンで国の行く末を計画し、そんな事は全て織り込み済みだからだ。

自動車の製造は既に七〇パーセント以上が海外に移っており、国内は縮小している。しかし、この分野の裾野は非常に広いので、直に弱体化することは無いと思われるが、いつまでも続くとは思えない。

伝染病や戦争不安で景気の振幅が大きいが、自動車に換わる程の産業は見当らない。将来ガソリンが電気に取って変わると言う事は視野に入れておくべきである。

環境負荷の軽減を図るためＥＶ車が推奨されているが、その電源が「電池」であることから、これの普及にはまだまだ解決しなければならない高いハードルがある。むしろ、ＳＥＶ（ソーラー車）がより将来性があるだろう。この分野は既にその技術が確立しているので応用が可能だろうし、環境負荷も他のＥＶに比べて低い。しかし、もっぱらＥＶに関心が移っている。

原子力産業は、今なお有力な分野であるが、環境問題から敬遠されている。

エネルギー分野については、第一に自然エネルギーが有望である。我が国は、太陽光パネルの生産では、かつて世界一の座にあったが、今は見る影もない。風力発電設備もまた同じである。

なぜ、我が国は、長い時間をかけて培った技術を活用しないで、いとも簡単に手放すのか不思議である。それとも、これが資本主義社会の構造的な問題なのだろうか。

既に日本では、人件費が高騰しているため、製造業は存立し難いのか、極めて難しい問題を孕んでいる。

これまで、我が国は資本主義社会に於いて、極めて新自由主義的な考えと共に成長してきたのであるが、ここに来てその成長にブレーキがかかっている。

即ち、社会に於いて数値化や金銭への換算こそ全てで、現行のシステムの持続性や社会への影響を無視するきらいがあった。このため、弱肉強食社会となり、これまで培ってきた技術や社会資本さえも、儲けに繋がらないものは、あっさり放棄したり、あるいは新興国に譲り渡したりしている。これらは、当の会社が存続し難い事や民間資本であると言う理由によって国も放置している。

しかし、いかに民に関わる事といえども、全ては半公共的な財であり、これまで少なからぬ税を、間接的には投入されて来たものである。技術大国日本を目指すのであれば、一民間資本の財として、その動向を無視すること無く、必要な支援や助成を行うべきである。

かつての製造大国アメリカが日本に取って変わったように、いずれアメリカの後塵を拝するようになる。それは、遠い将来でないように思う。

資本主義社会であれ、社会主義社会であれ、人々は貧困や生活苦から逃れるためにより良い生活、幸福な生活を求めてきた。

近代の工業の発展により、あり余る物の恩恵に浴しているのに、まだ、新たなものを求めている。人間の欲望にはきりが無いのだろう。

一方、発展途上国や原始的な国では、ナベ、釜一丁で原始的な生活をしているのを見るにつけ、なんとも奇妙な想いになる。だが、彼らの表情からは、物を持たないが故の不幸は感じられない。多分、人間の幸福は相対的なものだからなのだろう。あり余る物に囲まれて身動き出来ない人とほとんど何も持たない者とが、この地球上に共存しており、これが一般に「貧富の差」と言われている。それは物を多く持って、文化的な生活を営んでいる者が富んでおり、ほとんど何も持たない者が貧しいことになる。だが、このことだけで貧富の差である事には、何かしっくり来ないものがある。

今、地球環境や温暖化を云々している者が、最も環境を破壊している。その元凶は人間、特に先進国と呼ばれる人々である。物を大量に生産し、大量に消費している。それは物だけでなくエネルギーにも及ぶが、この人々が地球環境を叫んでいるのは愚かなことである。

環境が大切と言うのなら、自らが「ロハス（健康で持続可能な生活様式）な生活」を実行し、人々に訴える方が手っ取り早いだろう。ある意味、最も地球環境に優しいのは、他でもない、その日暮らしの未開の原住民になる。彼らは、自分達の暮らしが必ずしも不幸であるとも思っていない。そこでは、一つしかないナベを宝物のように扱っている。あっちこっちへこんでいるが、煮炊きには特に問題無いと言う風である。それは、ナベ、釜に関わらず、あらゆるものに及んでいる。物が無いが故に物を大切に扱う。見ていて微笑ましい。

そんなことが、昔の日本にもあったような気がする。物には魂が宿っていると言われれば、そう思ったものである。物にも命があると言われればその扱いは慎重になる。これは、万物に命が宿ると考える佛教の教えから来ているのだろう。

そう言う生活、そんな考え方を進めれば、今更声高に地球環境を云々する必要もないし、さして日常生活に支障が生ずるとも考えられない。

大きな経済発展が望めない熟成社会こそが一番マッチしていることになるかもしれない。スローな、ロハスな社会もまた楽しみな社会のような気がする。

社会生活のスピードを少し緩めるだけで、見える景色が変わる。これからの社会は、時間や周りの雑音に邪魔されることなく、物と人とが同じように大切に扱われる社会、それが地球環境に一番優しい工業社会だと思う。

買い物難民増加の　商業

ラーメンからミサイルまで商うと言われる総合商社の取扱高は、大手五社で現代、約四五〇兆円で存在感があり、世界中のあらゆる物の輸出入に関わっている。物、お金、情報を手広く扱い、その裾野は広い。いわばなんでも屋である。近年、電子分野である半導体、エレクトロニクスやＡＩ（人工知能）、バイオテクノロジー（生命工学）への躍進は目ざましい。これに係る資源関連や高齢化に伴う医療関連が好業績である。

また、大手商社は、終身雇用や福利厚生にも厚く、給与も高いので特に大学生に人気がある。人を使い捨てにしないことから、我が国の優等生でもある。

大手スーパー等は郊外立地も多く、買い物難民には条件が悪い。その点コンビニは、身近な点から重宝されている。中でも、一人世帯や独居老人の増加は、「食」の宅配が今後大きく伸びる余地がある。一方、百貨店は、一部を除いて低調である。これは、可処分所得の二極分化による影響が大きい。即ち、正規、非正規等の要因による所得格差のためである。

金融や保険は、横バイか低調である。特に、地銀は体力が低下しており、吸収、合併も加速している。大手は、現状では幾分健全ではあるが、マイナス金利政策や景気の動向によっては安泰とは言えない。保険もまた同じである。

電子マネー等キャッシュレス決済も、銀行の収益悪化を引き起こしている。しかし、キャッシュレス決済サービスは、ＡＴＭの維持管理や窓口での現金取り扱いに係るコスト削減が銀行にとってメリットでもある。

いずれの業態にしても、これまで「金（かね）」が世界を動かし、人々を活性化させているのに変わりはない。

彼のアメリカ経済も、ユダヤ系の金融資本が牛耳っていることでも知られている。これはアメリカに限らず、世界共通の認識である。「仮想通貨」など訳の分からない物も出現しているが、金（かね）は不動であるし、国の行く末の全てを決定している。今後の金融業の活躍に期待したいし、決して軽んじられる事があってはならない。

人は新たな情報や宣伝に引きずられ、右往左往するが、新しい物が必ずしも良い訳では決してない。正しい取捨選択の判断が必要である。

一方、小売業は、景気の動向をまともに受け易い業種ではあるが、インバウンド等外国からの観光客に人気のある外食業は、今後発展する可能性を秘めている。観光と食はセットである。経済が安定し、生活が向上するとこの分野は活性化される。観光立国、日本の今後の起爆力になり、益々経済発展に寄与する事になるだろう。

我が国の文化や歴史などは西欧などとは異質であるが故に興味を持たれている。また、我が国の商品や工業製品の良さを知ってもらうことで、内需、外需ともに増加する。観光による宣伝効果には、大きなものがあり、リピーターも増えて経済の更なる好循環が生じることになる。

食糧自給減少の　農業

我が国の食糧自給率は、カロリーベースでは三七パーセント程度で推移しており、先進国の中では、極めて低くなっている。

いかに、世界が水平分業によって成り立っていると言っても、食料は既に戦略物資である。有史以来「食」の不足によって国が滅びたケースは少なくない。過去には、争いによって不毛の土地に追いやられた事例も多い。

農村では、三ちゃん農業と言われた時期もあったが、今では影が薄い。山間の農地は、既に森林や雑木林に取って変わっている。イノシシやシカが山間の畑地を荒らし回り、多くの耕作放棄地が広がっている。山林の管理は追いつかず、自然に任せるままである。まるで原生林かジャングルである。

我が国の農業は戦後の農地解放によって大きく転換することになった。これまで、貧困との戦いに日々を送っていた人々が、晴れて農地を取得し、いわば一経営者となった訳である。

産業革命によって、第一次産業から二次、三次へと人々が移動し、高度経済成長期には多くの人々が地方から都会へ流入することになり、その主な人々は農民であった。地方で人が少なくなる事で、必然的に農業は機械化せざるを得ない状況に追い込まれ、現在に至っている。

これまでの農業は、主に家族経営であり、農地解放と言う制度の変更はあったものの、その規模はそれに見合う小規模なものであった。

農家といえば、「米」を作る人を想像させるように、米の単一栽培に終始しており、このため農家所得は主に米価が支えて来たのである。

戦後農政は、農協によって支えられて来た部分も多いが、これまで農家は就業と生活が一体のものであり、農業経営という経営理念に乏しく、ただ、長時間忙しく働くだけで所得の向上に結び付かないものであった。

農家所得が向上しないまま高度経済成長期に突入することで、多くの農家の二、三男などがサラリーマンになり、農家自体も所得を増やすために出稼ぎに出るなどで、農業の衰退が始まったのである。

この間、国の農業政策は、激しい時代の波に翻弄され、二転三転と目まぐるしく変わることになった。これまでの農政は、多くの家族経営の農家を保護する事に主眼を置くことで、「米価」は「票田」によって守られて来たのである。

ここでは、農政族議員の存在が戦後農政を左右して来たと言っても良いだろう。

しかし、戦後農政の主役を演じて来た保守政権も時代の波に対応できず、国による確固とした農業政策への理念も乏しい事から、農民を置いてけぼりにした議論のみで、未だ農民を漂流させているのである。反保守政権にしても何等変わることはない。

今新たな課題として、ＴＰＰ（環太平洋経済連携協定）への対応が喫緊の問題にも関わらず、その対応は確固としたポリシーも無く、農民不在の中で一人歩きしている。

狭い平地では、高齢者による米作りも多く、機械化が進んでおり、今や、農村の雇用の調整機能は既に過去のものとなっている。

地方では、限界集落が点在しており、朽ちた家々が所々に見られる。今や農業人口は全人口の一五パーセントを切り、経営状態も良くない。

一方、近郊の園芸農家は、ビニールハウスによる葉物野菜等に積極的に取り組んでいる。

農業の将来性については、明るいニュースが少ないが、農業は極めて重要な産業である。

人が生活するためには、食の確保が必須である。農業人口の減少を支えるのは、機械化、省力化以外にその答えは見出せない。

「農業生産法人」の参入による規模の拡大、効率化も将来有望である。また、オランダのようなＩＴを利用した園芸農業もチャンスがあるが、それでも、人手は必要である。

現代出稼ぎ外国人の雇用も一つであるが、安定供給に欠ける面もある。しかし、外国人移民には賛同出来ない。実習生制度のような制度を拡大しても良いだろう。反面、人口が減少するのであるから、今後食料も少なくて済むことになる。ただ、主食の米を外国に頼ることは、将来的に食の安全保障に支障が生ずる恐れがある。野菜は、国内自給は園芸農業によって可能である。

ＴＰＰは、輸入関税を廃止することで、より自由な貿易を行えるようにするとの事である。表面では、水平分業が世界の発展に大きく寄与する如く喧伝されているが、決してそうではない。

特に新興国にとっては、形勢が不利に働くケースが多い。いわば、弱肉強食の社会を作り上げているのである。これまでの事例からは、経済的な結びつきだけではなく、政治的な思惑も随所に見られる。

国家の多くは、その成立から、生活、習慣など長い歴史があり、個々の状態も千差万別であり、一様ではない。こんなものを一定のルールに嵌め込んで、競争を煽るようなやり方は、民主的でも無いし、決して人々に幸福をもたらす事にはならない。いわば、金儲けだけの手段であり、結果として格差を固定することに作用する。

今後、先進国とそうでない国との貧富の差は益々大きくなり、食料の争奪も予想される。本来、食料は余る国から不足する国へ向かうのであるが、今後は、価格の安い国から高い国へ向かうことになるのである。

農産物は、工業製品と同じように扱われるべき物ではなく、「地産地消」が基本である。

今でこそ、あらゆる食品が世界中に出回っているが、それに係るエネルギー消費量は、計り知れない。一方では、二酸化炭素の削減を云々しているのである。極めて矛盾に満ちた事が、何の問題も無いように行われている。

我が国も孤立を恐れる余り、TPPに参加したのであろうが、我が国に参加を勧めてきた当のアメリカが脱退している。なぜ、彼の国が政策を変更したかは知るすべもない。TPPに対しては、参加表明したものの、我が国の現状、即ち、少子高齢化や後継者不足など多くの不利な状況下にある。そして、これに対しての準備や危機管理意識は極めて低く、無防備である。こんな事で、まともな交渉など出来そうにもないだろう。どうして、いつの時代にも我が国は、行き当たりばったりの対応しか出来ないのか不思議である。

それは、将来に対する計画もビジョンも無いし、その時々の情勢によって、いずれの方向へも向かう為政者の姿勢がある。このことは、農政においてもしかりである。今は、農業に従事する人々が減少傾向にあり、農水族議員の力も弱くなっている事にもよる。底辺を支える者が振り回され、痛めつけられるのは、いつの時代にも共通する事なのだろう。日本に果たして、このTPPの運営に主導的役割ができる力量があるかどうか試される。

一方、国内に目を向けると、道の駅のような直販をもっと進めて地方の活性化をはかっても良い。

高齢者の増加に対応するため、家庭菜園や共同農園、耕作放棄地の活用にも参加できるような方策も考えられる。これは、生活習慣病や老人医療費の削減にも有効である。人間は、病気で亡くなるのであるから、軽易な労働は老人を病気から遠ざける事にもなるし、生きがいも生まれる事になる。一生現役も一つの選択肢である。農業の未来には、やり方次第で明るさも垣間みえるようだ。

収支無き　林業

最近郊外の山を散策したのであるが、今まで通っていた山道が、通行不能となり、竹が密集している。人が入らないのでこの様になっている。また、台風のあとなどひどいもので、至る所に倒木が放置されて、誰も片付けようともしない。山の持ち主がいないのか、それとも収入にならないからなのか。

一時、木材チップのまきストーブやバイオマス発電が宣伝されたことがあるが、今は余り聞かない。山には、それこそ山ほどチップの原料が有るのに、再利用されないのは大変残念である。

一方、国有林の管理も厳しい状況に変わりは無いらしい。もっと、国産材の活用をと言われているが、笛ふけども踊らずである。

国産材の使用が減少したのは、外材が安く大量に輸入されたことにもよるが、これまでの日本家屋の建築や和室の減少も大きく関わっている。和室は主に柱を見せる工法で、木の良し悪しが評価された。しかし、現在は、和風か洋風か不明の家屋が工場生産され、大壁になっている。耐火性の向上と併せて、壁工法になり、加えてプレハブである。まともな柱などなく、全てノリ張りの集成材である。木の良し悪しに関わらず製品になるし、後はクロス張りで、各地の銘木も不要となる。これらも大きな要因である。

しかし、今後も木造の家屋は無くなることが無いから、新たな国産材の利用には将来性があると思う。

現在、林業は新たな対策も無く推移している。今まで水田に利用されていた所は、原野になり、葦の様な草木が繁茂している。所々に低木も生え山に戻ろうとしている所も多い。

魚食減少の　漁業

近年、魚の消費量が減少しているとの事である。健康にはすこぶる良いのであるが、骨があるので食べにくいやら、料理が大変、匂いが苦手、などいろいろ理由があるらしい。

漁獲高は約四〇〇万トンで生産額は一兆円である。輸入は約二四九万トン、一兆五八〇〇億円で、サケやマグロ、エビなど機軸的な水産物の多くを輸入しており、世界有数の水産物輸入国でもある。水産物の消費量に占める輸入の割合は五一・四パーセントである。また、ほとんどの水産物は、輸入がほぼ自由化されており、漁業の従事者数は、現在二〇万人に減少している。

一方、水産物の輸出もある。食品輸出の約三七・八パーセントで、農産品と比較しても国際競争力はある。

世界の多くの国で、魚食の良さが見直され消費も拡大している。新興国の伝統食（イモ類）から魚や肉に向かっており、アジア、オセアニアの増加が激しい。

特に、中国は九倍、インドは四倍などであり、世界は過去五〇年間に約二倍となっているが、日本は五〇年前と同じである。二〇〇一年の八五〇万トンから、二〇一八年には五六九万トンと減少している。

漁場では、船の大型化や漁法の向上により乱獲になっている。現在、魚のリサイクルは、確実にマイナスに傾いており、漁獲量が減少している。沿岸漁業だけでなく、沖合漁業でも幼魚の漁獲が行われている。

こんな状況が続けば、いずれ魚そのものが絶滅危惧種となる。そのため、各国が足並みを揃えて、規制を行い魚のリサイクルを正常に戻す方策が求められる。魚の自然発生保護に加え、育てる手立てが大切である。そのため、世界的規模の漁獲の魚種、量、漁獲可能量を調査の上、適正な漁獲を進める必要がある。

中高等教育充足の　教育

教育は、国の礎と言われている。そのため、幼時教育はもとより、中高等教育の充実が求められている。教育の目的は、学習することで「目からうろこを落とす」ことにある。

現場の教師に、教育哲学やその立場を云々しても意味ない事かも知れないが、少なくとも初等教育に於いては、親以外の最初に接する大人であり、尊敬に値する理想の相手でもある。そんなスバラシイ教師に教育を受けた人は、自分の将来を語り、幸福な人生を謳歌することになる。

一方、そうでない教師に運悪く教育された人は、どうだろうか。その人の前途には暗雲が立ち込め、社会や教師、親を恨みながら生きることになる。

教師とは、一人の人生を左右する大きな存在であり、その言動は極めて重大である。学校教育とは、知識を授かるだけではない。人を育てることが極めて大切なのである。レベルの高い学校と言うのは、人を育てるのが上手な学校であり、自ずとレベルの高い生徒が集まることになる。

　現在、大学入学率が高校生の約五〇パーセントにもなっている。しかし、景気の動向により、必ずしもそれに見合った職が用意されている訳では無いので、就職戦線は激しいものになっている。また、高等教育を受けても、なお、望まない職につかざるを得ない人々も多い。

　一方、世界に目を向ければ、アフリカや東南アジア等の新興国には、これらの頭脳労働者が必要とされる。広域的な観点から、必要とされる国や地域に羽ばたくのも選択肢の一つだろう。優秀な頭脳に対して国境はない。

　現在、国が進めようとしている早期の英語教育は余り意味を為さない。なぜなら、英語を母語とする環境では無いからである。このことで、母国語の学習が削減されるなら、本末転倒である。ただ、英会話の実践的な教育や、自ら考え能動的に生きる力が育まれる教育は望ましい。

　また、引きこもりや不登校の子供が通う「フリースクール」は、当人を学習環境の低いレベルに固定しないで、早期に学校復帰できるようにしないと、子供の将来に大きな弊害を残すことになるだろう。学校と分断しない為に、通信機器を用いた新型コロナ禍での事例のオンライン授業も波及しているが、それを推進しても良いだろう。

　義務教育はその字が示すように「強制」である。そのことが疎かにされている。例えば、ゆとり教育が大きな失敗であったように、為政者は極めて慎重な対応が必要である。高校教育は進学率から、今や義務教育のようになっている。

　しかし、その内情は極めて低劣な状態にあると言われている。履修内容について行けない生徒が半数にもなっている。それでも、ほとんどの者が晴れて卒業して行くのである。学習する意志の無い生徒がいやいや参加しているから、やむを得ないかもしれないが。

　それが、大学にも及んでいるらしい。中学の基礎も十分理解していない学生が多くいるとの事である。そんなことで、大学教育を全うしているとはとても考えられない。企業の人事担当者が、大学の成績を信用しないのは、分かる気がする。

　このことは、卒業後の就職に如実に現れている。彼らは、大きな希望のもとに、新たな仕事に就くのであるが、就職した人の三〇から四〇パーセントが三年以内に離職しているのである。その多くは企業などと本人のミスマッチであると言う理由で簡単に片付けられているが、教育の責任が語られることはない。むしろ、企業等と教育者のミスマッチと言うべきである。企業等にとっては、仕事に適応できないような人材を仕向けてくれたと嘆くだろうし、送る側は、良い人材を送り出したのだが、と思っている。当然、本人の仕事に対する耐性や自覚も不足しているのであろうが、その根本は、教育そのものに原因がある。そんな生徒や学生しか育てられなかった訳である。しかし、教師達は、送り出したら全てが終わったものと考えている。高校全入学の弊害、負の連鎖が続いている。

教える側にも、問題が無い訳ではない。教育者が、労働者として扱われて久しいが、これが教育の荒廃の一端を担っている。これまで、「でも・しか」教師と言われる時代があった。教師でもするか、教師しかなれないなどと揶揄されたものである。そんな時代から教職が聖職で無くなったような気がする。

昨今のマスコミを賑わしている、人を教える資格の無いような輩が、教師としてあるまじき多くの事件を起こしている。この人達には、懲戒免職処分だけでなく、免許の生涯剥奪を科すべきである。

厳しく処分されることで、教職者の存在価値を高め、世間にもその立ち位置を知らしめることになる。そうすれば、教師も自ずと信頼され、保護者からも尊敬される。君付けで呼ばれることも無くなり、ひいては「モンスターペアレント」も少しは減少するだろう。そして、なによりも教師本人の教職としてのプライドも高められ、当人にとってやりがいのある仕事になる。

このことが将来ある生徒達に与える影響は計り知れない。

最近三〇人学級が議論されているが、議論する事は生徒数のことではない。教える側の教師の有り様について論じるべきである。今、何が問題であるかが殆ど認識されていない。そのことが問題である。前途ある生徒の教育に「でも、しか」教師は関わってならない。

しかし、近年教育系の大学、新卒の教職に就く割合が低下している。教職を目指して入学したであろうと考えるが、なぜ人気が無いのだろう。確かに教職の環境は問題もあり、多忙だと言うこともあるかも知れない。だが、一番の問題は、魅力が無くなった事である。

これまで、教職は、子供の憧れでもあり、それなりに尊敬もされ、ステイタスもあった。競争率の高い時は優秀な人を採用する事が出来たが、現在はそうでも無くなっている。少子化であればなお貴重な存在であり、国の盛衰に大きな影響を及ぼす事になる。

少なからぬ税を費やして、教育大学を運営しても、肝心の多くの学生が企業等に職を求めているのは、本来の姿から逸脱していると言わざるを得ない。いわば、職のミスマッチが入学時に既に起こっている事になる。今後大学そのものの存在価値が問われることになる。教職課程の大学だけが問題ではない。

我が国の大学教育は、大学そのものと学生の姿勢に「負のスパイラル」が存在することである。

ワークシェアリングの　仕事

仕事の目的は、社会に貢献することで、自分自身を育てることにある。新興国が台頭するにつれ、産業の空洞化が促進され、ワークシェアリング（雇用を分け合うこと）も必要になってきた。

仕事には、概ね（1）身体を使うもの、（2）身体と頭脳を使うもの、（3）主に頭脳を使うものに分けられるが、人は上昇志向によって（3）に向かう傾向がある。

（1）の仕事は一定機械化や将来ロボット等で補充されるが、全てこれで賄えるわけではない。なお、単純労働も必要である。これに合う人も含めて、技能実習生等のような制度も不可欠になる。ただ、闇雲な移民の導入は、将来に禍根を残すことにもなるので、慎重な対応が求められる。なぜなら、このことで国の統治が極めてやりにくくなり、費用も漸増するからである。

ワークシェアリングは、国民の所得の低下を推し進めることになる。非正規労働者等の不安定就労も増える傾向にあり、非正規労働は、目先の利益を求める企業活動のためである。結果的に質の低下を招き、技術等の蓄積もないがしろにされ、将来的に大きなデメリットが生じることになる。

終身雇用と言う日本のスバラシイ雇用環境が、さも時代に合わないかのように吹聴して来たのは、他でもない政府や企業自身である。

企業の国際的競争力を確保するためには、やむを得ないのだろうが、もっと然るべき方法や工夫が無いものかと思う。

新卒者にとって、新規の仕事に就くことは、多くの人にとって初めての経験であろうし、その思いは希望に満ちているものである。これからの長い仕事人生で自立の基盤になる。

近年は、即戦力をと、慌しく、短期間に社内教育を行い、実践に向かわせる風であるが、決して良い事ではない。それは、戦力が低い状態であり、特に非正規職員には経費を掛けたくないのは、企業側から見たら当然かも知れないが、長い目で見れば決して会社にとっても、利益に繋がらない。

働く意志を持って入社したからには、決して一年や二年で中途退職するような事をさせてはならない。また、当人に対しても「仕事」と言うものの正しい認識と忍耐力が求められるのは当然である。

近頃のブラック企業と言われるような会社は別にしても、いずれの仕事も大変つらいものであり、決して楽しい訳ではない。長い人生には、むしろ苦しみの方が多いと思われる。仕事に於いてミスマッチは無いものと考えた方が良い。その仕事が自分に合っているかどうかは、本人のやる気や心構え次第である。

仕事はやるに従って、仕事の方からしっくり当人にマッチして来るものである。「石の上にも三年」仕事は、人を作ると言われる所以である。

最近、社内起業やダブルワークが認められているのは、企業にとってどのようなメリットが有ると言うのだろうか。企業の活性化や労働者の新たな可能性を目指しているのか、あるいは、離職後のための支援なのか、疑問に思う。

一つの仕事も十分にこなせないような多くの社員に、他の仕事を認める事は、本来の仕事やサービスに支障が生じるし、別の仕事もやっつけ仕事になる。「二兎を追う者は、一兎をも得ず」である。

人は、そんなに有能でもないし、労働者の不足が言われる時こそ「人」が人として尊重され、良好な職場環境と適正な労働条件によって、雇用されなくてはならない。

今こそ有能な人材を確保し、そのスキル（技能）を高める事が雇用主の使命である。

出稼ぎ外国人や技能実習生による雇用についても、能力に応じた待遇や評価がされなくてはならない。使い捨てでは駄目である。そうでないと皆他の国へ行ってしまって、人材確保もままならない。

建設業や農業、製造業にも、彼らは今や無くてはならない存在になっているが、要は人件費を削減する為でもある。また、３Ｋと呼ばれる職場では、労働環境によっても人手の不足が起きる。これは重労働や手が汚れるなど、必ずしも給与が低いと言う理由だけではない。

一方、給与アップなど条件の改善をすると人手は解消に向かうが、雇用する側は不利になるので、雇用は減少することになる。

今後、新興国の労働条件が改善されると、外国人労働者に頼ることが出来なくなり、事業の継続を諦めざるを得なくなる。あるいは、合理化、機械化で人を余り雇用しなくても良い方向に向かう事になるだろう。これは、単純労働者が機械やロボットに取って変わることでもある。

一方、人口減により、ある一定バランスのとれる分野も出てくるだろう。中でも、高齢者の増加に伴い医療、介護等に関わる人の不足が著しい。

いずれにしても、高等教育を受けた人達には、いわゆる「ホワイトカラー」と言われる分野の仕事は、一定確保されるだろう。

いつの時代も優れた頭脳は尊重される。

個人主義の　結婚

結婚の目的は、家庭を作って人生を考えることにある。

若者の晩婚化、未婚化が言われている。結婚は、出産と言うことが深く関わっている。人間進化の過程から見ても出産は、四〇歳ぐらいが上限であろう。しかし、出産や育児を考慮しない人々もいるので、これ以上の人も一定数増えるだろう。また、自然災害や伝染病等の流行により、未婚化が一時是正される要素もある。

晩婚化、未婚化に加えて、生活意識や価値観の多様化、女性の自立等により、離婚も増えている。しかし、離婚は、軽軽に判断してはならない。後になって、若気の至りでしたでは、「後悔先に立たず」である。二〇から三〇歳代での判断が三〇年後も同じとは限らない。

「離婚に勝者はない。両者が敗者だ、ただ、程度の差だけの」と言われる。

カトリックでは、離婚を戒めている。それは、「神」が許さないからである。それは、「神前での誓い」を破棄することであり、神との約束を反故にし、神を冒瀆することになるからだ。

　そうは言っても、現在は離婚も少なくない。それは、一九六〇年代頃から始まった欧米の離婚の自由化による。しかし、キリスト教の影響が大きく、おしなべて欧米が自由になった訳ではない。アイルランドは一九九五年まで認められなかったし、フィリピンは今も認められていない。

　しかし、特に日本人は、宗教について希薄である。戦後、個人主義がはびこり、それ故、結婚も離婚も極めて流動的である。神をも恐れない輩が、なぜか正月には神頼みをするのは、おかしなことだ。

「人は一人では生きられない」結婚し、子供を育て、家庭を持つことは、自然な事である。むしろ、それが、人生の全てであるとも言える。喜びも悲しみも分かち合うことが、人生をいかにすばらしいものにするかを、知らねばならない。

　想えば、一人一人の生は、数百万人の先祖が延々と紡いで来た赤い糸、かけがえの無い命の連鎖の賜物である。人はこのＤＮＡ（遺伝子）を、未来に向かってバトンを渡す責任を託されて、生まれて来たのである。人として今を生きていると言うことは、極めて稀有な偶然が幾重にも重なった結果であり、全て人知を超えた神の思し召しである。

宇宙は神が創ったかどうかは別にしても、この世に生を受けたことには、心から感謝しなくてはならない。

「一日生きることは、一日の幸福である」と言うチベット仏教の想いが聞こえて来る。人生とは、今日を生きることであり、「明日死す者のように今日を生きよ」とは名言である。

人生は、決して楽しい事ばかり満ちているのではない。苦しい事の方が多いだろう。それ故に楽しさもひとしおである。輝けるものには影がある如く、波乱は付き物で、これが世界規模であれ、ささやかな明日の生活であれ同じである。清濁あわせ飲んで、なおかつ「志」を高く持って生きるのが、人生と言うものだ。そんな人生に不幸な死が訪れる訳はない。

これらのことから、若者は孤独な不毛の一生を無駄にするのではなく、より良い伴侶を求めて、幸福な家庭を築いてもらいたいものである。それが、結果として少子高齢化防止に寄与する事になるし、当事者の生きがいにも繋がると思う。

近年、「LGBT（性同一性障害）」や「同性婚」について議論されているが、婚姻は憲法第二四条にも明記されているように、「両性」の合意によって成立すると明文化されている。両性とは、男女ではないのか。世界はどうであれ、少なくとも我が国の法律では整合性がない。性同一性障害云々と言うのは、明らかに病気の事であろう。行政がこれを認めるとか、認めないとかの議論自体、笑止千万である。こんな事が話題になっているのは、我が国も病んでいる事の証である。

一方、西欧やアメリカでは、「LGBT」や「同性婚」は認められている国や州もある。これは、我が国とは結婚に対する意識や慣習の違いが大きく影響している。

近代的な結婚が困難であるのは、どの国にも共通することであるが、西欧では長続きしないと思えば、同棲し、愛情が無くなれば新しい人と再婚するために離婚する。一方、我が国は、離婚するために離婚する。西欧は、我が国のように両者の同意によるのではなく、一方的に離婚ができることから、結婚そのものが不安定になっている。我が国では、恋愛の行き着くところが結婚と言うストーリーになっているが、欧米はいつまでも恋愛することに主眼が置かれ、結婚は付け足しみたいなものである。

また、欧米では、パートナーがいないことは、みっともないと言う世間体がある。我が国のように法律婚とは異なるため、婚外子も多く結婚自体が将来不要になると言われている。

近代社会は、全ての人が結婚する事を前提に計画されており、あらゆる事が夫婦にとって有利になるように措置されている。何も損得だけではないが。

若者の前途にはすばらしい明日が待っている。初めての高齢者にもすばらしい終末が待っている。しかし、高齢者もこの前までは若者だったのである。

生きとし生けるものは、幸せであれ。皆、あの世とか言う所に行く。人生は、それまでの短い時間である。最後に良かった、もう思い残す事はないと、あの世に行けたら本望である。後に残るのは思い出だけだ。それも、いずれ消える。

自然の摂理は宇宙の巡りによって、正確に調整されており、人知の及ぶ処ではない。分かっているのは、我々は宇宙船、地球号の一クルーであると言う事だけだ。

長生きに反抗する病気

健康に一生を過ごす事は極めて難しい。

現在、悪性腫瘍で亡くなる人が多い。ＤＮＡの変異で、遺伝子が関わっていると言われている。これは、一種の「アポトーシス（プログラム細胞死）」であり病気ではないと思う。ガンは、人間と言う種が長生きする事を阻止するための細胞内での暴動である。それ故、将来的にもガンを撲滅する事は極めて困難な仕事になるだろう。

また、現在注目されているものに、伝染病がある。有史以来、人間と対峙してきた未知の細菌やウイルスである。時々顔を見せ、世界的大流行を引き起こすのである。

これらの発生場所は、一定特定されている。一つは中西部アフリカ、もう一つは、中国華南周辺である。これらは、気候風土と土着の風俗による野生動物や野性味の食習慣に由来している。

エボラウイルスや新型コロナウイルスで今も世界が苦しめられている。これらは、変異するのでいつまでたっても対策が追いつかない。少なくとも、初期の段階で発生を抑えるような措置が最善の策である。それには、当該地域の生活環境や風俗、風習の改善等が必要である。

この度の新型コロナウイルスの発生や蔓延には、中国の情報操作による公表の遅れが大きく影響している。一部の確かな情報筋によると、少なくとも二〇一九年の八月頃には、既に中国は新型コロナウイルスが発生している事を確認し、九月には、武漢においてコロナ感染の発生を想定した「防疫訓練」を実施しており同時に、あるいはそれ以前に既にワクチンの製造に着手していたとの事である。そして、二から三か月後には、即ち、一一月から一二月には、中国全土に蔓延、近隣国にも波及していた。やっと翌年の一月になってから、新型コロナの発生は、武漢の海鮮市場であると発表している。この間約五か月もの間、秘匿していたのは、道義上、国際社会からもっと非難されるべきものである。そして、ウイルスの発生は、今になって必ずしも我が国では無いと強弁している。

何かに付け、自国の責任を認める事なく、他国に責任を転嫁するやり方は、彼の国の神経を疑わざるを得ない。口では、ウイルスの撲滅に世界は協力しなくてはならないと言いながら、裏では逆行する事を堂々とやっているのである。こんな事をしていては、先進国の仲間入りなど到底無理な相談である。彼の国の行為には必ず裏があり、全て「マッチポンプ」であることを知らなくてはならない。

このような状況にも拘わらず、ＷＨＯ（世界保健機関）の対応は、なお不可解である。

遅れること、一年三か月後、中国での発生状況や原因究明の査察、その後、新型コロナウイルスの発生は、中国のウイルス研究所や海鮮市場とは限らないと言う、不真面目で、杜撰な公表に終始した事である。この表明は、いみじくも、新型コロナの発生源は、ウイルス研究所などであることを暗示している。

祭りの後に祭りを見に行ったようなもので、世界的な組織としての体をなしていないし、その権威が無いのも同然である。ＷＨＯは、既にチャイニーズウイルスに感染し、危篤状態である。

その点について、アメリカのトランプ大統領によるＷＨＯへの拠出金の不払いや脱退は、誰が見ても極めて正確な視点からの判断だろう。

この伝染病が、中国に於ける自然発生的なものか、人為的なミス、或いはテロであるのかは、現在のところ不明であると言われているが、多分後者だと思う。このことについて、何の謝罪の言葉もない。それにしても、彼の国のその後の対応は茶番に過ぎる。自分の責任を放棄しながら、一方では、マスクを提供したり、その言動は正視出来ないほど醜悪である。

彼の国は、今後もまた、新たなウイルスを全世界に拡散させるだろう。世界は、この事がどう言うことか、しっかり認識し、その責任を強く求めなくてはならない。

全てをウソと偽善で塗り固め、極めて利己的な体質の国の横暴を許してはならない。

いずれ、彼の国は必然的に崩壊すると思うが、時期は定かでない。それまでの悪影響は看過出来ないものがある。

二〇一九年に始まった中国での、新型コロナウイルスによる壮大な社会実験は、世界中で猛威を振るい現在も続いている。その原因や発生の経緯については、世界の少なからぬ科学者の目には、なお、疑念を持たれているが、他の多くの国や人々を欺く事には概ね成功したと思われる。この事で武漢のウイルス研究所は、中国において、その存在価値を高めることになった。

世界的な治験とともに、新型コロナウイルスの伝染力、致死率、ワクチンの効果、変異の状況など、今後の対応へのビッグデータを獲得する事ができたのである。

これ等のデータに基づいて、彼らは、これまで中華発展の足かせとなっているチベット族やウイグル族へ応用する事で、極めて低いコストでもって、これらの民族を抹殺し、世界制覇への足掛かりにするのだろうか。いや、既にウイグル自治区では、これまで多くの人々が粛清され、原爆の核実験場となっている。

多くの市民が腫瘍に罹患しており、治療も出来ずに死亡している。教会を潰し、自由を剥奪する事で、人種の根絶やしを進めている。改めてウイルスなどの使用は必要無い域に達している。

同じ事が、チベット自治区でも行われているのである。全世界から、これらは、ジェノサイド（集団殺害）であると非難されているが、内政の事として聞く耳をもたない。こんな恐ろしいことが、二一世紀の今になっても現に行われているのだ。今さら漢民族とは、なんと残酷で凶悪な民族かと改めて思わざるを得ない。いわば、ナチスによるユダヤ人殺りくのアジア版の再現である。

これまで、医薬品と言えば、漢方薬が主流であったが、近年は、諸外国の原薬、或いはジェネリック医薬品の受託製造を行っている。抗腫瘍薬、抗感染薬の開発、製造にも傾注している。今後、新たに他の新薬の製造の分野にも大きく舵を切ってくるだろう。今後も新たなウイルスの発生と医薬品の製造、これは、中国が得意とするマッチポンプである。

中身の無いTVの　娯楽

週休二日制になって、人々は自由な時間をどの様に過ごすか、悩みの種になっている。

テーマパークは、相変わらず人気があるが、どう言う訳か分からない。

TV、ラジオ、新聞、映画は衰退傾向にある。身近なテレビは、なお利用されているが、これが観ていて楽しく、有意義だからでは決してない。身近な娯楽が無いからである。今のような中身の無い低劣な番組作りがこのまま続けば、いずれ多くの人々から飽きられ、その存在が危うくなるだろう。

一方、あらゆる野外スポーツも横バイか低調に推移している。

特に、スキー、スノボー、スケート、登山の人口は減少している。

これらのスポーツは、大自然の中で身体を使うため、青少年の心身に良い影響を及ぼし、家族で行えばよりコミュニケーションも促進できる。家族とのつながりが希薄な今日、極めて上級なレジャーである。

屋内でのゲームやeスポーツなんかよりも遥かに良いと思うが、どうして低調なのだろう。軽薄短小な時代背景や、手っ取り早さの為なのかもしれない。

日々の生活が、何かに付け便利になり、食事さえ自分で作らず、人に運ばせるなど、人や物に頼る社会は、将来が思いやられる現象である。便利な社会は決して悪い訳ではないが、自分自ら行動し経験することがいかに楽しい事か。それが、レジャーたるものの存在価値である。健全な社会は健全なレジャーで営まれる。

また、水泳は、室内プールでのスポーツクラブ等で中高年者に人気がある。

えてして、上達に時間の掛かるものは敬遠され、手軽なスポーツが好まれる傾向にある。そのため、観戦するスポーツは概ね盛況である。

ゲームセンターは姿を消して久しいが、パチンコ、パチスロ、競馬、競輪、ボート等のギャンブルは一部の人々に根強い人気がある。

今後、IR関連のカジノもホテル事業と併せて、一定集客されるだろう。

IR（総合型リゾート）は、その目玉はカジノ解禁で、他は付け足しである。

我が国は、公営ギャンブルでは世界有数の大国であり、パチンコを含めるとその規模は世界一と言われている。このため、ギャンブル依存症も今や三五〇万人に及び、その対策に苦慮している。

依存症は、いわば生活習慣病みたいなものであるから、治療し難い面がある。政府は、観光振興に名を借りて、外需を刺激して経済の活性化を図ろうとしている。その手法は、はなはだ軽率で稚拙に過ぎるが、いつの間にか既に閣議決定している。

この事業は、結果的に円高を誘導し、経済の活性化には余り寄与しないし、むしろこれに伴う害の方は無視できない。

国の今後の有り様や、生きがいのある国作りが出来るような良い方策が考えられないものだろうか、国の無策に唖然とする。

レジャーは、景気の影響を敏感に受ける分野であり、ブームもあるので振幅が大きい。

何と言っても旅行、国内、海外。特に国内旅行は伸びている。観光だけでなく、体験型も一部人気がある。現在お一人様のパック旅行も拡充され、海外旅行も国内に劣らず集客があるが、新型コロナやインフルエンザ等の流行、海外の政情不安による騒乱やテロ等の不安定要素もある。そのため、海外旅行は、高齢者にとっては体力的にも厳しいものがある。その点、クルーズ旅行は高齢者に喜ばれている。一方、若者にとっては、時間的制約や金銭面から敬遠されている。

旅が一番の人気商品ではあるが、時間的あるいは体力的にハードルが高い人にとっては、今はやりのＶＲ（バーチャルリアリティー）旅行が幅広く浸透するだろう。この技術には、目ざましい進歩があり、驚かされる。

いずれにしても、旅は今後も衰える事はないだろう。

「旅をしなければ、歳老いての話がない。歳老いて旅をしなければ冥土での話がない」などと言われる。

人生は旅そのものだと言われるのは、人は旅によって思索し、感動を貰い成長する。旅は一種の成長ホルモンであり、人の成長に欠かす事の出来ないあらゆる要素を含んでいる。多くの年代層に人気があるのも肯ける。

感動する事をやめた人は、生きていないのと同じだ。

第二章　これまでの隣国

新興国の　中国

三権分立、議会制民主主義と言う西欧近代国家をモデルに国作りを進めてきた我が国。中国は、それとは大きく異なった社会、共産党の一党支配する社会主義国家である。そこでは、広く世界に知られているように、法治国家ではなく「人治国家」であり、複雑な社会組織と相まって、今や「国家資本主義」とまで言われるようになっている。その姿勢や行動は、極めて利己的で狡猾である。この国では、知的財産権などと言う言葉はなきに等しい。

これまでも、現在も貧富の差が激しく、多くの国民が飢えに苦しんでいる中、極めて自国主義の政治を行っている。これが、マルクス、エンゲルスが理想とした国かと、驚くばかりである。

この国の人達の多くは、貧しい農民であり、いかに新興国といえども、その社会の格差や置かれた立場は、一党支配から逃れられないものなのだ。

片や一方では、軍事費を増強し、ミサイルや宇宙開発の拡大に努めている。これは、北朝鮮と酷似している。

その実態は、一八世紀の植民地支配や帝国主義的性格を、現在に於いて実践している共産主義的新興国なのである。

そして、西欧諸国や日米にキャッチアップするために、恐ろしくショートカットした工業やＩＴ技術は、ほとんどが先進国から窃取したり、譲り受けたりしたものであり、一つとして自国で自ら考案し、作り出したものなど無きに等しい。

この歪な生産構造の中で、なお覇権を目指しているので、至る処に歪みや摩擦が生じる事になる。これ等を治める為には、力、即ち軍事力で脅しを掛け、法ではなく「人治」で処理せざるを得ない現実がある。

その為、国際的な非難が起こっている。いかに軍事力でものを言わせようとしても、対応し難いものとなろう。

今や、世界の工場として君臨するようになったとは言え、その中身は、張子のトラである。

多くの国営企業は、生産設備の稼動率や生産性は極めて低く、有り余る粗悪品は山積しており、その処分に苦労している。「一帯一路」の政策は、これらの商品の捌け口として活用するための遠大な計画である。

西欧先進国や日米は、最後の巨大市場として中国を見ている。一方、中国の思いは、アフリカ、中近東、東南アジア諸国を最初の市場と考えている。

これは、新興国あるいは発展途上国の人達が購入出来る程度の価格のもの、即ち品質は落ちるが安い物を大量に提供する事である。

例えば、中央アフリカのある国の幹線道路には、夥しい程の靴の踵や傷んだ靴が散乱しているらしい。靴は、アフリカ諸国の中でも充分行き渡っていないので、彼らの欲しい物の一つであるが、日本製等は高くて話にならない。その点、中国製ならなんとか手が届くと言うことらしい。そのため、アフリカ諸国から多くのバイヤーが中国へ買い出しに行き、大量に国内流通させている。しかし、それらが粗悪品のため、しばらくすると踵が取れたり、底が剥がれたりして道路端に放置されているのである。

今や中国は、アフリカや発展途上国への、いわばゴミ輸出国になっている。

また、ソ連崩壊後のウクライナからジェットエンジンやロケットを購入して、国産ジェット機を作ったり、日本の自動車エンジンに車体を被せて国産車を作ったりもしている。

また、他の一例であるが、某外国の有名メーカーの機械式時計のコピー製品、「リアルコピー」と言われる品物が、堂々と市販されている。さて、時計の裏カバーを開けて見ると、案の定、日本製のムーブメントに中国製のフェイスカバーである。外見では、専門家でも殆ど見分けが付かないもので、そのコピーの見事さにびっくりする。日本製のムーブメントが入っているので、故障して裏蓋を開けない限り、長期間本物として所持される。その技術力と言うか、真似の仕方は本物以上である。

これは、単に時計に限った事ではない。あらゆる物に及んでいる。「知的財産権」などと言う生易しい言葉では表現できない。「リアルコピー」が本物を凌駕しているのである。ニセ物も一〇〇パーセント同じであれば本物である、と言って憚らない。これ等が大量生産され、既に全世界に波及しているのだ。

これは、彼の国があらゆる物の、基礎技術をないがしろにして来た結果であり、未だ、まともな草刈機のエンジンさえも独自で作れない。

しかし、今や、ＥＶ（電気自動車）の生産では世界一である。生産台数こそまだ少ないが、環境問題とからめ、ＥＶを国際標準にしようと目論んでいる。

ＰＶ、ＰＨＶ等の技術は複雑で難しいので、より簡単なＥＶに特化し、これを推し進めようとしている。現在、車の合弁やライセンス生産で技術を吸収し、これらに係る技術は決して侮れないレベルにある。

最後の市場を狙って進出した日本や欧米の自動車会社に、不当な条件や足かせを掛けて、なし崩し的にＥＶ化を図ろうとする策略である。

地球環境や、ＰＭ２・５対応としてＥＶが推奨されるのは、時代の流れではあろうが、これが十分機能する為には、まだ超えなくてはならない高い壁があり、今後一〇年余りの時間を要するだろう。

果たして、ガソリン車に十分対抗出来るかどうかは、非常に怪しい一面もある。過去には既に、ＥＶとガソリン車の対決があり、ＥＶが敗れている。

地球環境保全のためには、脱炭素社会が重要だと言われている。二酸化炭素が地球温暖化の原因と言われているが、余り関係がない。人間が生活するための二酸化炭素の排出量（車や工場を含めて）なんかは、地球に影響を及ぼすようなものではないし、太陽系の中の地球は、そんな些細なもので影響を受けて変動はしない。

これまで、もっと大きなスパン、一〇万年毎に地球は気候変動しており、それは、現在の科学や人知で認識出来ないメカニズムで動いている。過去には、氷河期があり、多くの巨大恐竜が死に絶え、小型化することで生き延びた。また、灼熱地獄では、植物が枯死し、陸上動物を海へ回帰させたのである。

温暖化は、二酸化炭素の増加によって温度が上がっているのではなく、温度が上がっているから二酸化炭素が増えているのである。

少なくとも、この地球上の大気は、二五〇万年そんなに大きな変化はない。氷床の増減と間氷期のサイクルは、小さな変動は有るものの、ほぼ一定しているし、その状況は今に始まった事ではない。大気の温度変化は、これまであった様に、これからも起こる。それは、宇宙の生態に起因する。この為地球の温暖化に一喜一憂することはない。むしろ、植物が生育できなくて飢饉になる冷却化のほうがもっと恐ろしい。大気の温度変化は、発熱元である太陽の黒点の増減など他の複雑な要因で変動しており、そんなに簡単なものではない。未だ宇宙がどの様にして出来て来たのかさえ解明出来ていない現在、これらが、人知の及ばない事でも分かるだろう。

近くて遠い国の　韓国

一九一〇年に日韓併合条約が締結され、一九四五年までの状態について、彼の国は「日帝三六年」と言う否定的なキーワードで反日の種にしているが、ここには大きな歴史上の歪曲、捏造が行われている。韓国にとって、重要なのは歴史の事実ではない。悉く演出し、騒ぎまくって相手を非難する事である。

いかに、当時の日本がロシアの脅威や中国の圧迫を防ぎ、国際的に認められた形で、かつ、民主的に併合したかと言う歴史認識を、韓国こそ正しく理解しなくてはならない。

当時の疲弊した朝鮮を多大な資金でもってライフラインを整備し、教育環境の充実に努めたことで、現在の韓国、北朝鮮の基礎が築かれた事を忘れてはならない。併合が何等強制的なものでなく、植民地化と言う言葉は全く当を得ていない。

いつ、誰が「植民地」などと言い出したのか知らないが、併合と植民地とは別の概念である。それが、今日あたかも「植民地支配」であったかの様に言う人々は、歴史を知らないで歪曲している。

我が国も、間違った言動には毅然として反論することが、為政者の責務であり、黙っていては、国際的に容認した事になる。

第二次大戦後、一九四八年に大韓民国は独立したのであるが、ソ連とアメリカ等の思惑から、統治や統一について、関係する政治勢力が混乱し、深刻な状況であった。

一九五〇年には北朝鮮軍のソウル侵攻により激しい戦争となり、アメリカや中国の参戦に発展した後、三八度線で停戦、停戦協定が結ばれ現在に至っている。この争いはいまだ終戦していないのである。

その後も、南北の政治情勢は不安定な状況にあり、その時々の為政者によって融和を試みたものの、国の制度が大きく異なる事から、統一は難しいものになっている。

韓国は、日本の戦後補償や民間協力などで、資本主義国の一員として経済発展を遂げて来たのである。今や、ＧＤＰでは世界第一二位となり、中進国として発展している。

今後、韓国と北朝鮮は、平和裏に統一される事は無いだろう。北朝鮮が韓国を併呑する。韓国には、金政権を除去し、体制を打倒して、民主的に統一すると言う視点は今のところ皆無である。

過去の工業国の　北朝鮮

一九一〇年には「日韓併合条約」が締結され、一九四五年第二次大戦の日本敗北により、朝鮮には新たな国、朝鮮労働党一党支配による朝鮮人民共和国が誕生した。

誕生秘話については、ソ連共産党員であった金日成が、ソ連の指示により行った。そして、朝鮮正史が書き換えられ、個人神話も作られた。

以後、約五〇年間にわたり「共産主義的君主制」が施行され、金一族によって世襲されて来たのである。

日本統治時代には、多くの資本が投入され、重化学工業やインフラは、当時の韓国に比べるべくも無く進歩していた。第二次大戦後に国営企業となった施設には、多くの日本人が技術協力のため残留した。第二次大戦後、米ソの思惑により、朝鮮政府を樹立する案はいきづまり、各々が建国することになったが、そのため一九四八年に朝鮮戦争に突入したのである。

この戦争の裏では、国際法に違反したヤルタ会談によって、米ソの談合が行われていたのである。一九五二年ソ連のスターリンの提案により停戦となったが、中朝軍、米韓軍、国連軍、合わせて約四〇万人、民間人三〇〇万人と言う、双方に膨大な死者と、一〇〇〇万人と言われる大量の離散家族が生まれることになった。しかし、この戦争は停戦と言う形で現在に至っている。

戦後焼け野原となり、当時の社会インフラは破壊され、ほぼゼロからの復興となったのである。

社会主義化のもとに基盤となる工業施設、次いで共同組合的農業政策を実施した。

その後、祖国統一への騒乱や事変が何度も勃発したが、成功すること無く終始した。

一九八三年には、金正日の誕生に併せて白頭山神話が形成された。

一九九一年のソ連の崩壊の影響が大きく、北朝鮮の経済は疲弊し、崩壊に近づく事になった。

一九九二年には、中韓国交が樹立され、これを契機にＮＰＴ（核拡散防止条約）

を脱退、核開発を加速する事になった。先軍政治と瀬戸際外交を駆使し、対米交渉に打って出たが、未だ成果は見えない。

二〇一一年には、金正日が死去し、現在は若き金正恩政権である。

そして、核開発に伴う代償は大きく、北朝鮮経済を沈滞させる事になった。

アメリカ等による経済制裁は、ボディブローのように国の体力を奪うことになっている。

親日国の　台湾

日清戦争に勝利した我が国は、台湾の割譲を受け、日本の植民地とした。当時のインフラ整備は、本土のレベルを上回るものであった。統治時代は、日本同化政策により、日本語教育が実施された。その後、第二次世界大戦の終結により実質的な独立国家、国民党政権による統治の中華民国となった。

しかし、一九七〇年代に中華人民共和国が国家として国連に承認され、台湾は中国の一部と言う位置づけにされたので、台湾が国連を脱退している。戦後の経済発展とともに、世界有数の外貨準備高を持ち、ハイテク産業を中心にめざましいものがある。

この成長の基礎は、一八九五年からの約五〇年間に及ぶ日本の尽力がある。我が国は、計り知れない困難の中、農地改革、産業振興等に多大な投資を行ったのである。

当時の台湾は、農業が主な産業で、極めて小規模なものであった。土地そのものも殆どが急峻な山岳部を占め、言語も異なる多くの部族が散在しており、互いに抗争を繰り返していた。

国と言うには余りにも未開で、清朝も十分に対応できず、殆ど見捨てていたのである。それ故、簡単に日本に割譲したものと考えられる。

最初は、日本もこの地の統治に手を焼いたものであるが、地政学的な有意性から、苦難の末に国らしい基礎を固めたのであった。この間、山岳部族との内紛により、多くの日本人、台湾人（本国人）が犠牲になったのである。この為植民地支配などと言う言葉で、簡単に片付けられる物ではなかった。

ある意味、日本は未開地の開拓に尽力しただけに終わったのである。

一番親日的な国であり、インバウンドによる日本への影響も大きい。経済発展も見込まれるが、彼の国には大きな足かせがある。共産党中国の野望である。

中国と台湾は、社会体制が異なることから、現在全く違う国でもある。

これまでの歴史から、中国を無視して独立するのには、条件的に無理がある。

地政学的にも、中国は台湾を決して離さないだろう。今後、共産党による圧力は、手を変え品を変えて執拗に加えられる。これに対して、台湾がどう対応するかによって、自ずとその解は明らかになる。

新しい国の　アメリカ

アメリカは、建国二〇〇年余りの新しい国である。

新天地を求めて、この地にやって来たアングロサクソンによって、また、その他のカトリック教徒やイタリア系、黄色人種、黒人等による多くの人々によって成立しており、人種の坩堝と言われる所以である。人種が雑多な故に、考え方や習慣も極めて異なる移民の国である。これを、一つの国として統治している事には感心する。

これまで、資本主義社会の頂点に君臨して来たのであるが、これが永続するかどうかは分からない。と言うのは、既に資本主義社会の成熟期を迎えており、新たな発展にも陰りが見えてきた。

イノベーションにも限界があり、過去の歴史を見ても明らかである。

どこの国にも、ウィークポイントはある。その一つは、人種が多様なためのメリット、デメリットである。この国の経済発展は、黒人奴隷をはじめ黄色人種、ヒスパニック、イタリア系等の移民を労働力として、成立して来たのである。

近年、産業の空洞化に伴い、中国等新興国に人的資源を求めて移動しており、現在は、重厚長大産業からＩＴ関連等の軽薄短小の産業へシフトしている。金（外貨）の売買やＭ＆Ａ（企業の合併、買収）等、物の製造から距離を置いた商行為によって経済が運営されている。

社会の発展につれて、貧富の差が顕著になって来るのは、どの国にも共通しているのであるが、その程度が著しい。

また、人種が多い故のデメリットとしては、社会が不安定になる事にある。銃を所持せざるを得ないと言う現実は、その表れであり、いつ暴動が起こってもおかしくない。現に、小さな騒乱や事件が日常的に起こっている事からも分かる。このことが、今後の国の運営に大きな支障となり、国の更なる発展にブレーキを掛ける事になる。

今後、この国を統治する為には、過去の奴隷制度や移民制度の教訓の下に、人々を一致団結させるための、神業とも言えるようなアイデンティティーを育成しなくてはならない。これには、長い時間と費用を惜しんではならない。

なぜなら、今あるアメリカにもたらされた富の多くは、彼らの血と汗によって蓄積されたものだからである。

人を分け隔てなく扱う事に努める事は、決して裏切られる事がないし、民主主義国家として尊重されるのだ。

世界一の領土の　ロシア

ロシアについては、余り良い印象がない。

それは、共産社会やシベリア抑留の話、終戦時のどさくさに紛れての参戦の狡猾さ等を見るにつけ、その残忍行為は想像を超えたものがある。

これは、彼の地が世界一広いにも関わらず、極寒の不毛の地が多い厳しい環境を生きて来た故だろうか。

西欧の文明に一足遅れてスタートした事のハンディキャップにも遠因があると思う。

特に、終戦時における日ソ不可侵条約の一方的な破棄は「国際法違反」であり、これに起因するシベリア抑留や北方領土の実行支配は、全て不法、無効である。

まして、ヤルタ会談での密約、東京裁判等は、法の支配を尊重する国際社会に背を向けた行為と言わざるを得ない。

我が国は、勝てば官軍の論理に抗する事が必要である。

一九一八年の建国から、スターリンの領土拡張の目論みまで、僅か七〇年余りであっけなく崩壊したのである。マルクス、エンゲルスの夢見た共産社会は、今となっては大きな社会実験でもあった。

一時は、すばらしく発展したように見えた時期もあったが、国民の不満を解消し、理想社会の実現に寄与することは無かった。ベルリンの壁の崩壊と共に、この国の方向は大きく舵を切る事になった。

しかし、世界に於いては、なお有力な国家の一つである。

既に冷戦は終わったように見えるが、決してそうではない。核拡散防止や戦略兵器の削減交渉などが行われて来たが、未だ足並みは揃っていない。今なお、厳然として核の脅しが行われ、戦乱は絶える事が無いのが現実である。

新たに資本主義社会に仲間入りしたロシアには、民主主義社会の発展に寄与してもらいたいものである。

そして、戦後一〇〇年以上経ても、いまだ平和条約さえ調印していない我が国との改善を図る為に互いに、努力する事が求められる。

第三章　これからの日本

素人集団の　政治

民主主義は、とても面倒な制度だ。

ここでは、様々な議論をし、意見を調整の上、折り合いを付けなくてはならない。

その為、多くの時間と労力を必要とするが、結果的には、必ずしも良い結果が得られるわけではない。足して2で割った様な妥協の産物となる。

これが、「議会制民主主義」のデメリットでもある。

そもそも、多様な意見を政治に反映するなど、元来出来ない相談であろう。

近年、これを無視するかの様な「住民投票」が注目されているが、市民を分断するだけで、こんな物は何の意味もないし、時間と金のムダである。こんな事で白黒を付けようとする事自体、難問を市民に丸投げして、自らの責任を転嫁する偽善の行為である。これは、議会制民主主義がうまく機能していない事の証左である。

政治に金の掛かることは、一定やむを得ないのかも知れないが、掛かりすぎるのも問題である。その為、実力も無い世襲議員や政治屋が跋扈している。そして、国民、特に若者は政治に無関心となり、期待もしなくなっている。おのずと、選挙にも関心が薄く、結果はどうでも良い。

こんな事から、政治家は、余り尊敬されないし政治も他人事である。

反面、議員は、国民の信託を受けた偉い人と錯覚し、その振る舞いは尊大である。

常に選挙に勝つ為に、あるいは権力を握りたいが為の権謀術数に長ける人となる。

それ故、宰相もころころと変わり、各大臣もこれに引きずられて変わる。こうして、見識に欠ける素人同然の政治家集団が、形成されるのである。

我々は、国の将来について、これらの人々に委ねるのである。そして事ある毎に、官僚の助けを借りながらも、とんでも発言を行い、あらぬ方向を示していただく事になる。

これが国内政治だけでなく、外交にも及ぶのであるから、空恐ろしい限りである。

こんな体であるから、百戦錬磨の諸外国を相手にして、まともな外交など期待すべくもない。こうして、多くの国益が損なわれ、国民の血税が散財される事になる。

およそ、四年に一回の選挙と言うお祭りは、意外と早くやって来る。議員はそわそわし、忙しく動き回る。選挙カーに幟を立て、スピーカーから大きな音で自身の「名前」を連呼するのである。また、ウルサイ時期がやって来た。

政治が何時になっても余り進歩しないのは、他でもない、人間が進歩していない事の現れでもある。

時代と共に、科学が発展し便利な社会になったのであるが、意外と「人間」は脳内に原始皮質を保持している為なのか、古い体質から脱皮できない。政治に於いては、三〇〇〇年前も今も殆ど変らないようである。しかし、政治が時代の進歩と共に向上すると考えるのは間違いかもしれない。

それと言うのも、政治に求められるものが、古代ギリシャにしろ、現在の我が国にしろ、大きな相違が無いからであろう。

産業革命以降、社会での対立構造がはっきりし、政党政治が発生したのであるが、現在は対立が希薄になっており、社会における課題も環境や生命など政党間での争点にならないものや、甲乙つけ難い課題に直面している。

このことは、政党政治や二大政党制の存在意義が低くなり、選挙においても無党派層を拡大させる結果になっている。このため浮動票が結果的に大きなウェイトを占め、争点が明確さを欠き、時には有らぬ風評によってどちらにも転ぶ危うさを内在させる事にもなるのである。

また、選挙民の政治に対しての関心は希薄な上、被選挙人の良し悪しも、芸能人の人気投票のような、見てくれだけの選択になり易い。その為、資質に欠ける人々も多く当選し、玉石混交である。まるで駄菓子屋のあてもんである。そして、それがハズレた時には、自分に人を見る目がなかったと反省するのである。

しかし、これだけの情報社会にありながら、意外にも被選挙人の情報が少ないものである。あるいは、過剰な情報のため、どの情報が正しいのか掴みにくいこともある。

一方、国会審議を聞いていても、多数者の政党が有利に働き、そうでない党は不利になる多数決の弊害も生じている。

政治は結局、利益政治の域を出ないことから、必ずしも正しい事や真理が選択される事にはならない。この為政治に於いては国民の意思や考えを代弁されることなく、失敗が繰り返される。失敗が原因で政権の交替も促進されると共に、その都度国の方針も大きく変わる事になる。

イノベーション模索の　経済

リニア新幹線は、二〇四五年に完成し、東京大阪間を一時間余りで結び、経済の活性化に寄与している。

現在、我が国の人口は、既に八〇〇〇万人を割り、生産労働人口も激減している。これに併せ、高齢者の割合は全人口の五〇パーセントを占めるに至っている。このため、経済を圧迫し、財政面から見ても債務残高は夥しい額になっている。

大都市への人口集中は、国の是正措置によって抑制されて来てはいるが、まだ十分ではない。

一方、地方都市は、国の税制の優遇政策により、中堅製造業の誘致が推進され、人口の流出が緩和されて来ている。これらの企業は優れた技術をさらにレベルアップすると共に、新しいイノベーションに貢献している。

成熟社会が自ら内在する長期不況状態の克服は、先進国のアメリカや西欧にも共通の課題である。

我が国の物作りのための生産設備は、既に高いレベルにあり、ＩＴやロボット化によって更に高められる事になる。これは、合理化を進め、労働者が余ると言う事でもある。特に、中小企業の割合が高い産業構造は、合併や倒産によって一定集約される事になるが、これによる余剰人口はどんな形で吸収されるのだろうか。

一つには、出稼ぎ労働者や実習生等が多い福祉関連や建設業、農林水産業が最初に考えられる。これまで余り体力も必要としない営業、事務、研究職のホワイトカラーやグレーカラーの人々が、「３Ｋ」職場と言われる労働市場への移動がすんなり行くとは考えられない。それ故、国内の失業率は高止まりせざるを得ないと思う。

また、プロダクトイノベーション（製品の技術革新）を推進する事であるが、これまでも折々に新しいものが現れ、淘汰されて来た。歴史の流れからその可能性はあるが、その歩みは小さなものになるだろう。

なぜなら、物の付加価値についても、従前のものと大差が無ければ、購買意欲が湧かないし、壊れたものの買い替え需要に留まる。

そして、生活家電などの民生品の製造は、既に中進国や新興国によって支えられているので、余り参入の余地がない。

この為、先進国がその存在感を示せるのは、どうしても、もっと技術レベルの高い分野、例えば、ＩＴや医療、宇宙関連、軍備品関係、ロボット関連等に道を求める事になる。

特に今後の医療は、高齢者社会にとって格好の分野である。医療機器の高度化は、結果的に医療需要を誘導すると言う、皮肉な状況になるが、将来的には不可欠なものである。これらの機器とＩＴをコラボ（合作）させる事で飛躍的に発展する可能性を秘めており、内需拡大に大きく貢献するし、通貨を円安に向かわせることにもなる。

大企業は、本国での研究開発部門を充実するとともに、新製品を製造しているが、主に海外での製造に特化している。これは輸送費を削減し、需要のある所で製造することでメリットの最適化を進めている。

製造業はＡＩと結びついており、日常生活品にデジタル化の波が押し寄せている。しかし、ＩＴの技術革新にも関わらず、なお、成長率は三パーセント程度に終始しており、社会保障水準の低下は止められない。

これは、相対的に新興国の興隆に対して、国際競争力が低下している事による。特にインド、中国、インドネシアの躍進には、目を見張るものがある。

ＥＵ、アメリカを含めて先進国と新興国との経済バランスは、大きく変化しており、経済格差は縮小しつつある。これは、生産労働人口に占める若年層の割合が多く、非生産労働人口が少ないことによる。

生産労働人口の減少はたちまち国力に大きな影響を与えている。

資本主義社会は、成熟社会に至り低成長に推移する。それが宿命といえども大切な事は、この国を衰退に任せてはならない事である。日本人の英知を結集すれば、新たな工夫で道が開けて来るものだ。

ニュークリア・シェアリングの　防衛

これまでの我が国は、戦後一貫して平和憲法のもと、専守防衛を頑なに守って来たのであるが、既に中国を初め北朝鮮の軍備増強には、十分対峙できない状況になっている。核については、アメリカの傘に守られているにしても、核は伝家の宝刀であり、おいそれと使用できるものでもない。そのため、各国は、既に核を所持していても、なお通常兵器の充実や更新にしのぎを削っているのである。

昨今の世界情勢は、相変わらず、至る処で争乱や紛争が起こっている。これらの事態に対応する手段には、通常兵器が現在のところ極めて有効である。考えを変えれば、小競り合いを戦争に拡大させない為の、一つの抑止力になっているのかも知れない。

軍拡競争は、将来的にも止まることは無いだろう。それ故、各国の軍需産業は水面下で大きく発展しているのである。インターネットやGPSが米軍の兵器から派生したように、平和利用に貢献しているものも少なくないのであるが。

国連が将来、真に世界平和の維持能力を持つには、長い時間を要するし、持てるかどうかの見通しが無い中では、各国の同盟関係によって平和を維持するほかない。

特に、テロ組織による破壊工作などには、新たな枠組みも必要になる。宣戦布告も無しに、突然やって来る無差別攻撃を防止するのは、極めて難しい。

これからの戦争の一端は、いつ、どこで、誰によって起こされるかさえ分からない。急に勃発し、その影響が広範囲に及ぶ事になり、一国だけの問題に関わらないのである。

特に我が国は、現実世界を直視することなく、セキュリティーは、すこぶる甘いと言わざるを得ない。原発や飛行場、自衛隊の基地などのライフラインに対する防護は無きに等しい。最悪の事態を想定しての整備が必要である。

特に留意しなくてはならないのは、原子力発電所である。狭い国土に四二基もの原子炉があり、世界屈指の数である。その心臓部に当たる原子炉は、厚い鋼鉄で保護されているが、爆弾の破壊力には及ばない。ここを攻撃される事は、核爆弾を投下される事に等しい。更にシェルターが必要である。飛行場や軍の施設も裸同然であり、現在新たに掩体壕等の設置が進められている。

新鋭の戦闘機などは、精密であるが故に、少しの爆撃などで大きな影響を受けるもので、たちまち使い物にならなくなる。また、無線基地も防護が必要なものである。過去の戦争に於いても情報が大きく戦局を左右した如く、今後も変わることはない。これらの設置箇所は、現在秘匿にされている。また、これらの物理的な防護対策に加えて、テロリスト等による施設への侵入や通信等のネット環境へのウイルスの侵入防止など、セキュリティー対策に万全を期さなくてはならない。

これらは、人間で言えば神経系統であり、その他致命傷になるような部分も全て、防護の対象になる。サイバー（インターネットを利用した）攻撃に対するIT関連の専門家や技術者は、現在不十分ではあるが、一定確保されている。しかし、配置されている技術者にはインフォメーション（情報）とインテリジェンス（諜報）の差異や情報の分析、評価に対応する能力には十分とは言えない。

諸外国と比べて、我が国のインテリジェンスに対応できる組織や能力は、残念ながら極めて低い。

過去には、イラクのフセイン政権が秘匿しているとした、大量破壊兵器や生物、化学兵器などを想定して攻撃を始めた例は、結果的にインテリジェンスの大きな誤りであった。

今後、世界が繋がることで、共同防衛する方向にある事は、益々この様な事例を引き起こすだろう。まして、紛争中ではなお多く発生する事がはっきりしている。共同連帯することで、人間は自らのグループ寄りの情報に偏る傾向があることから、益々科学的なインテリジェンスからは遊離する。

そして、戦争に於いては、偏った情報や判断のもとで「正義」や「聖戦」が実行される。遂には勝った者が「正義」の旗を掲げる事になるのである。

中国の軍備拡大は、年々増大しその脅威は現実のものとなっている。加えて、一七から一八世紀の大航海時代の再現か、と思わせる戦略に、近隣は言うに及ばず全世界から非難の的になっているが、動じることはない。戦術核はもちろんの事、通常兵器の増強、拡大は恐ろしい程である。

これまでは、国境線の防衛に主眼をおいて来たのであるが、ここに来て海上での覇権の重要さから、海軍の増強に向かっている。

これまでの艦船や航空機は、旧ソ連崩壊時に譲り受けたり、移入された旧式の戦闘機やそのコピー製品であり、戦力としては低い物であったが、次第に新型のロシア兵器に更新しており、今では欧米諸国を凌駕する物もある。

ロシアとの関係は以前ほど親密なものではないが、ロシアにとっては兵器売却の大切なお得意様である。

ロシア経済も、石油資源の切り売りだけでは立ち行かない状況にあり、値の張る兵器は、自国の経済にとって重要品である。これからも、ロシアは航空、宇宙産業技術の開発に活路を見出しており、中国にとっては不可欠の存在である。

現在の中国の技術レベルは、基礎技術が十分で無いことから、旧ソ連時代の兵器をなんとかコピーできる程度のものであり、その製品は先進国が購入したいレベルにはほど遠いのであるが、発展途上国にとっては重宝されている。この様な状況は、北朝鮮にも同じ事が言える。

中国も北朝鮮もやっている事は非常に良く似たものとも言える。しかし、このことは、大局的な見地から見ると非常に危険性に満ちたものである。なぜなら、旧ソ連のスクラップをベースにした航空機や未熟な技術からは、まともな製品が出来る訳がない。これらを使う国で、いつどこで大きな事故が発生するかも分からない。

特に機械類は、いかに新しい物でさえ安全でない。まして、旧式の継ぎはぎの機体に核を載せたりすれば、その結末はおぞましいものになる。当該国内で済む事故であれば、その国が大きな影響を被るのであるが、決して近隣国に影響しない訳ではない。

核の取り扱いは、高度な技術分野であることから、安易に扱ったり脅しのネタにしてはならない。子供の火遊びが大火事になる様に、我が国は、子供の火遊びを毅然とした強い態度で糾弾しなくてはならない。そうしないと、いずれ我が身に火の粉を被ることになる。

現実問題として、我が国の隣国である中国と台湾、韓国と北朝鮮は、東アジアに於ける危うい火薬庫である。我が国が直接戦火を交えないにしても、その波及する影響は、戦争当事国とさして変らない。最も恐れるのが、戦火に巻き込まれ、これに伴う難民への対応である。戦闘状態になれば、難民なんか構っている状況ではないかも知れないが、その中には武装難民やテロリストも含まれるだろう。

はっきり敵と判れば殺害などの対応も出来るが、これは定かではない。

しかし、大量の難民が押し寄せる事は、想定しておかなくてはならない。この難民に対して、今の自衛隊や警察力で対応出来るのか極めて怪しい。

ではどうすれば良いのか。直に祖国へ追い返すことも、状況からして無理があるだろう。それなら、一時留め置かねばならないし、その為には、場所も施設も必要であり、人道上食料の支給もついて来る。昔の流人の様に、孤島や無人島が考えられるが、今後を想定して対策を検討しておく必要がある。

中国だけではない。北朝鮮、ロシアも潜在的な脅威である。例えれば、我が国は、狼に囲まれた子羊の様なものである。時に脅され、時に咬まれ、震えあがっているのである。時々鉄砲を持って親方（ＵＳＡ）がやって来るが、奴らは恐れることなく、遠くで吠えている。ここでは、ゆっくり休むことも出来ない。なんとかして、この狼を退治しなくとも、その侵入を防がなくてはならない。今や、脅し用の花火では、何の効果も無くなった。とうとう、最新式のライフルを用意する事にした。これで一安心して休める様になったし、人も家畜も安全である。しかし、奴らはまだ様子を窺っている。

二〇二五年に我が国は、敵基地攻撃用の長距離ミサイルを開発し、配備することになった。ある一定の抑止力にはなるが、いつまでもと言う訳ではない。

それは、最新式のステルス戦闘機についても言えるだろう。

現実問題として、これらの兵器はある程度軍事力として機能するだろうが、いずれ陳腐化する。

二〇三六年には、中国人民軍が軍事訓練を装い、急きょ尖閣諸島と台湾に同時侵攻してきた。これを阻止する為、我が国と台湾は反撃し、米軍も交えた戦闘は激しいものになった。この戦闘で台湾の民間人を含めて双方に四万七千人余りの死傷者と多くの艦船、航空機等に甚大な被害が発生した。

中国人民軍を撃退することで占領は未遂に終わったが、台湾海峡周辺は非常に危うい状況にある。戦闘はロシアの仲介によって停戦しているが、何時再発するかも分からない。

また、世界は既に、サイバー空間での軍拡が始まっている。いわば、『スターウォーズ』の世界である。

二〇〇九年には、アメリカはサイバー軍を創設し、サイバー攻撃と戦闘行為を同一視している。

世界中に張り巡らされているインターネットによって、パソコンにウイルスを侵入させ、情報を盗む事が頻繁に起こっているが、この侵入者の追跡は極めて困難である。これが、一個人であれば、一個人の被害に限定されるが、これが国間、それも防衛に係る分野であると、由々しき問題に発展することになる。これからの戦争はサイバー空間で行われることになるが、使用される兵器も無人機やロボットとなると非常な脅威となる。

司令部はどこか遠くの片田舎のオフィスで秘かに画面操作され、攻撃するのである。それは、正しくテレビの戦争ゲームの観がある。直接対峙しない為に罪悪感も何もない。

こんな戦争が既に現実のものとなっている。その為作戦はもっぱら敵の司令部を叩くことや司令部のコンピューターに侵入し、その神経系統を無力化することが最大のミッションとなる。

戦争のＩＴ化やグローバル化は、世界中に拡散されることを阻止する事が出来ないので、世界の安全保障管理が困難になっている。この状況は、これまでの核兵器の拡散のストーリーと酷似しているのは何とも無念である。

人間の歴史は戦いの歴史であり、戦争が進歩のきっかけになって来たと言われるが、果たして人間自身は、進化しているのか疑わしい。

産業の面から見れば、サイバーシステムの裾野は、宇宙、安保、軍事、ＩＴなど広範囲に及び、企業側にとっては大きなチャンスでもある。

我が国も二〇一一年に武器三原則の緩和をすると共に、共同研究や開発に参入している。諸外国は日本の先進技術に期待しているのである。しかし、技術力の維持向上を目的とするにしても、結果的には戦争の一端を担うことにもなる。

現在、国連常任理事国による武器輸出が九割以上を占めていることから、現実の世界はホンネとタテマエの相克にある。国連が世界平和と安全に寄与しているのであるが、裏では武器を拡散し、争いをもたらす「死の商人」と化しているのである。

それは、原爆禁止条約に加盟してない保有国の独善と同じである。このことから第三次世界大戦は、現実味をおびている。

二〇四〇年には、米国との間に「ニュークリア・シェアリング」（核を借りること）を締結し、形のうえで核を保有することになったので、その抑止力は格段に向上している。これの実施には、国民の合意と核廃絶を叫ぶ学者や反核団体の圧力には、激しいものがあり、やっと獲得したものである。憲法を一部改定し、自衛隊の存在も明記することで、なんとかしのいで現在に至っている。

しかし、いずれ米国の助けを借りるだけでなく、自立が必要である。今後の世界情勢は不明ではあるが、核が不要になる様な時が来ることは無いだろう。

現在核抑止力は「核」以外に無いことが、はっきりしているからである。

核の脅しは、死より恐ろしい。核戦争でこの地球が瀕死の重体になる事は、想像さえしたくもないが、チョットしたミスやきっかけで起こらないとも限らない。

いずれ、地球自体も大きく膨張し、その寿命を迎える。核もろとも大爆発を起こして原始宇宙のチリになって霧散する。その時は、全人類が等しく天国とか言う処へ行ける。

地球が爆発しても、宇宙は何事も無かったかの様に、その営みを続けるだろう。なぜなら、超新星爆発は、今も宇宙の何処かで発生している。それは、何時やって来るか分からない。それまで平穏な生活を営みたいものだ。

ＡＩ・ＩＴの　工業

二〇五〇年には、重厚長大企業は、数えられる程少なくなっている。残っているのは、製鉄、運輸航空機関連ぐらいであり、原子力発電関連は低調に推移している。

製造業の空洞化は既に定着しており、国内ではＩＴ、半導体、精密部品、ロボット、医療機器関連。家電は、新興企業がＡＩ・ＩＴとコラボして新製品を提供しており、概ね良好である。自動車関連では、主要四社（Ｔ、Ｎ、Ｈ、Ｓ）体制にあり、ガソリン車、ＨＶ、ＰＨＶ、ＥＶ車の混戦模様である。ガソリン車とＥＶ(電気自動車)は、約七対三でＥＶが伸び悩んでいる。

医薬品製造は装置製造も含めて唯一盛況分野であり、バイオ関連は、生産額は少ないものの、これに次いでいる。

資源小国の我が国にとって、バイオ関連事業の研究開発が進んでいる。バイオエタノールは、既に諸外国では自動車燃料として活用されている。

愛知県では、海の厄介者となっているアオサ（海草）が漁業の支障になっていたが、これの処分方法からメタンガスを抽出し、燃料に、また、豚や牛の排泄物や下水道汚泥からも同じように有機性資源の利用が進められている。

生ゴミは年間一〇〇〇万トンが焼却や埋め立て処分されており、間伐材は七二〇万トン発生し、その過半が利用されずに放置されている。これらの身近な資源をリサイクルすることで、エネルギーの再生にも一役買っている。

我が国は、カロリーベースで六〇パーセント以上の食料を外国から輸入しながら、年一六〇〇万トンに及ぶ食料を廃棄している。それは一人当たり年間一〇〇キログラムにもなっている。食卓を豊かにするのは結構な事であるが、資源の浪費も甚だしいものがある。

生活に困窮し、一日一ドル未満で食料も不足し、毎日多くの子供たちが死亡している国もある現実を直視しなくてはならない。そんな国から、自分達自ら食することなく輸出している事も多いのである。いわば我々は、後進国の命と引き換えに繁栄を謳歌している事になる。

テレビで放映されている大食い競争などは、放映する側の「倫理違反」である。

マスコミ業界の行儀の無さが如実に再現されている。民放だから何を放送しても良い訳ではない。それとも製作費用が少なくても、視聴率が上がる番組作りのためだろうか。

一方、自動車の国内需要は三〇年前の半分以下に落ちている。人口減少以上の車離れであるが、これには車のリースなど「カーシェアリング」の影響も大きい。なお、海外生産は堅調に推移しており、今も我が国の主要産業に変わりはない。GDPは既にインドに追い抜かれ、世界第四位に甘んじている。いずれインドネシアにも追いつかれるだろう。しかし、GDPは個人のGDPの指標がより重要である。

我が国は、製造業なしでは存続が難しい。物作りは、今後も留まる事はないだろう。改善や改良は我が国の得意とする分野であり、日々研究、開発が進められている。特に、素材におけるテクノロジーは、他の先進国の追随を許さないレベルにあり、繊維、合金、プラスチック等多くの製品に応用され、付加価値を高めている。

これまでにも、ソニーのトランジスターラジオやウオークマンなど、人々に楽しみや利便性を高める為に機器を小型化することは得意分野である。現在のＤＶＤにしろ、スマートフォンにしろ、殆どの製品には日本製の部品が組み込まれており、今では無くてはならない存在である。それらの精度の高さや品質には定評がある。

現在のナノテクノロジー（物質を原子や分子のスケールに於いて自在に制御する技術）もこれらの延長線上にあり、アルミ合金加工、銅合金などのナノメタル、たんぱく質の検出技術などのナノバイオテクノロジーは更に進化を遂げ、人類の幸福に貢献している。

だが、いかにスバラシイ製品を開発しても、その技術を盗用されていては意味がない。「知的財産権」の確立は極めて大切である。

得てして、これまでは、物を製造することに傾注し、これを重視して来なかった。結果的にあらゆる技術を盗まれ、真似されてしまい、技術投資も回収されることなく、最後には生産競争で脱落する様な無様な目にあって来た。この損失は計り知れない。

また、国の規制などで、高度な技術もビジネスに生かすことなく放置され、埋もれている物も多い。これらは、我が国の高度な技術に対する明確な国家戦略が無いからでもある。

物作り日本は今後も変化に対応し、新製品の開発を進めている。そして、これらの製品を必要とする人々は尽きることはない。

工業は、概してエネルギーを多用する事で知られているが、技術力の高さ、省エネであることは、今後の海外進出、グローバル化に対して優位な立場にある。例えば、環境関連のゴミ処理、高効率の火力発電、水処理関連事業等、他の国が追随出来ないレベルにある。中でも、高効率発電事業は、その技術水準は極めて高いもので、これに用いる石炭は、化石燃料のなかでも世界中にあることから、これを利用することは必然であろう。しかし、二酸化炭素を排出することで、その技術が活用され難くなっているのは残念である。

ＣＯ２の発生で、木材などについて適用除外されているのは、これらが元来地球上にあったＣＯ２を吸収していたものであるから増えも減りもしないと言う理屈であるが、石油や石炭だって、過去に木や有機物がＣＯ２を吸収し地中に温存された物である。それなら、木材と何等変わることがない。

そもそも、地球上（地下も含めて）にある物をエネルギーに変えることで、地球上（地上の大気を含めて）のCO2の総量は増えも減りもしない。

なぜなら、地球上のあらゆる植物は日々CO2を吸収し、酸素を排出する光合成によってCO2を固定化している。即ち、宇宙空間では地球も一つの閉じた系で、エネルギー不滅の法則である。なお、掘り出した物をもう一度元の位置に戻す新たな技術、CO2の地中固定化などの方法もある。

世界的にCO2排出権の取引などが実行されているが、余り意味がない。いわばリーマンショック時のサブプライムローンの類である。なぜなら、元になる完全な科学的エビデンスが乏しいことにある。

新たな技術は、日進月歩であるが、リサイクル技術もその一つである。

これまで、大量生産、大量消費が資本主義社会の進歩の証の様に考えられて来たが、決してそうではない。資源の有限性や地球環境が人類共通の課題になった現在、リサイクルが大きな発展分野になる可能性がある。

内需は既に頭打ちであり、今後は海外にマーケットを求めざるを得ない。

原材料を大量に輸入し、また、大量に製品を輸出することで経済を発展させて来たのであるが、こんな従来からの方法では、いずれ限界に突き当たる。

更なる新製品が生まれている間は、それでも良いが、新製品もそのうち陳腐化するし、ヒット商品を生み出すことは苦難を伴うものである。

新興国との競争原理が働くことで相対的に競争力は低下する。先進国と言われる我が国は、金はあるが物が売れなくなり、デフレが続き、物が溢れ、至るところに財が滞留することになる。

一方、多くの物が短期間しか使用されず使い捨てにされることで、廃棄物も大量に発生することになり、これが都市鉱山と言われるものである。

何も貴金属や希少金属に特定されることなく、広く扱っても良いだろう。

例えば、ペットボトルにしても原料は石油であり、これを石油に戻す技術は確立されているし、リサイクルもされている。

あらゆる製品をリサイクルするには、製品によってはその処理費が嵩むかも知れないが、それ以上の価値があると思う。

革新的技術を駆使することで省エネやリサイクルを進めているが、二〇五〇年になっても、自身の生活では相変わらず、物やエネルギーを多量に消費する日常を営んでおり、意識は三〇年前とそんなに変わりがない。

人は一度快適で便利な生活を経験するとそれが忘れられず、省エネなど何処吹く風である。

それは、ぬるま湯に浸かっているカエルの例えに似ている。熱くなっても分からずに、遂には死んでしまうのである。

個人当たりのエネルギー消費量は、なお増加している。こんな事ではこれから先もエネルギー不足に悩まされるだろう。

我々は、もうそろそろ使い捨て文化から脱却する必要がある。そのことが地球環境に一番優しい事だと気付く時が来ている。

今後工業は、得意分野を更に技術革新する事で、これに附帯する事業も自ずと拡大される。何時の時代でも地震災害や洪水対策は、世界共通の課題であり、耐震工事やダム建設関連も海外進出している。また、身近なものでは、上下水道、配電、ガス工事も、海外ではなお必要とされる分野である。

国内需要が縮小する中、海外進出などでグローバルに対応している。

GDPに拘る事なく成長することも大切である。

それには、東京一極集中の是正と地方都市の更なる活性化が必須である。既に集中してしまっているので、これを是正するには相当の体力を必要とする。国内にＵターン現象を強制的に起こす事も一つの選択肢である。地方交付税を地方に分厚く配分するとか、税制面で優遇措置を行うことなどの対策が求められる。

第一の列島改造の反省の上に立った、その第二の列島改造である。

ネット通販盛況の 商業

二〇三〇年、大手商社はあらゆる分野に手を広げ、その取扱額は幾分減少しているが、その存在価値を誇っている。しかし、大型百貨店は減少が続いており、特に地方都市で顕著である。また、郊外型総合大型スーパーも合理化の為減少傾向にある。しかし、海外に目を向けると、中国や東南アジアにショッピングモールやコンビニを展開し、脚光をあびている。

一方、ホームセンターや食品スーパーは、概ね健在である。そんな中で人気があるペットコーナーは、ホームセンターやドラッグストアーで大きな位置を占めており、食料品として間違って購入しそうになる程で、その種類も多いのには驚くばかりである。

買い物難民の増加により、いままで閑散としていた都心のシャッター商店街に少しずつ客足が戻っている。しかし、大きく賑わっている訳ではない。

コンビニは、全国的に根強い人気があり、以前より店舗の床面積も大きくなっている。取扱品目も増加し、いわば食品スーパーの代替施設となっている。しかし、雇用者数に余り変化は見られない。

　また、ネット通販や宅配は盛況であるが、流通に係る人件費の高騰から配送費用が嵩んでいる。

　金融については、キャッシュレス化や合理化等により、大企業が存在感を増している。一方、中小地方銀行は、吸収、合併等があるものの、勢いは弱い。しかし、これからは、大都市一極集中から地方へ活性化の流れを止めることはできず、地方を支えるのに大きな力となる、地方密着型の地銀に有利である。

　古今東西、いつの時代も有るようで無いのが「金（かね）」である。庶民のための消費者金融は、今やメガバンクの傘下に収まりながら、これまでの規則破りの金利返還請求事件があったものの、今は安定した経営環境にある。

　証券、保険業は大小含めて、特に取扱手数料の安さからネット証券が盛況であるが、保険はゼロ金利政策による逆ざや現象が発生し、低調に推移しているものの、海外進出に活路を見出している。

　航空機から医療器材まで扱っているリース業はグローバル化が著しく、今後も有望な分野である。信託は銀行金利の低下、シニア世帯の相続や資産運用の関連から投資信託に人気が集まっている。

近年、新興国での交通事情悪化の為、鉄道が見直されている。鉄道車両とセットでのプラント輸出は、契約額も大きく大手商社によるもので、広く世界進出している。これらの民生品は、その国の発展に大きく寄与するし、我が国の技術力の高さをアピールするチャンスでもある。

その他、総合商社が関わる事例として、資源開発の権益取得や育成がある。石油、天然ガス、銅鉱山、希少金属鉱山、パルプや建材としての森林の育成事業など、我が国の発展に不可欠のもので、多岐に渉っている。

同じような事例として、海外での住宅団地造成のプロジェクトがある。住宅事情が劣悪な国は数多くあり、我が国で蓄積したノウハウで住宅事情を改善することは、これに附帯する設備品の供給も自ずと拡大することになる。

この分野は、今後争奪競争が激しくなるだろう。今や、商社は国の盛衰を左右するまでになっている。

社会や産業のニーズを掘り起こし、その解決の為に必要な、人、物、金を結びつけて、新たな事業を作り出しているのである。

　これからも有望視されている分野は、ヘルスケアーやモビリティー（交通、通信）、環境、デジタル革命などであり、時代に合わせて柔軟に対応できるのが商社の強みである。これまで、足で稼いだ膨大な情報やコネクションによって、今何が必要か、必要でないかを素早く判断出来る立場にいる。

　ただ、世界の情勢は、その時々の政治的しがらみにも大きく左右される為、一商社では余りにも非力なケースもある。ＯＤＡ（政府開発援助）や国との連携、後ろ盾が必要とされるケースも多い。この様な事例では、一商社だけでなく、国もその一翼を担う立場にあることを認識しなくてはならない。

　なぜなら、これらの資源やビッグプロジェクトの相手は新興国や発展途上国であり、その交渉は主に国である。国が相手の案件は、商社の仲介も含めて国が前面に出て交渉することが必要になってくる。そうでないと、他の交渉相手に競り負けてしまう。

　我が国の政治家や役人は押しなべて外交下手と言われているが、ワンチームになって推進してもらいたいものだ。このことが、将来我が国の為、相手国の為のウインウインの関係が築けることになり、互いの国の発展に大きく寄与することになる。

運輸業の陸運、海運は、経済発展に連動しており、概ね活況を呈しているが、慢性的な労働者不足である。

法人化の　農業

二〇七〇年、農業人口は五〇年前のほぼ半分になり、全人口の約一〇パーセントである。また、食糧自給率は、カロリーベースで約三〇パーセント程度になっている。

既に限界集落と言う言葉さえ昔話になっている。耕作放棄地は山間部だけでなく、至るところに虫食い痕の様に広がっている。

今では、米の栽培は、圃場の集積化が進み「農業生産法人」による経営が主流になっている。

農地の集積化について国は、いろいろ模索しているが、道半ばである。と言うのは、国土の四割を占める中山間地にも多くの水田が存在する為である。

土地の形状などで物理的に集積出来ない訳である。このため、国は、中山間地には、野菜や果樹など米以外を栽培するよう推奨しているのであるが、水田から畑作への転換は容易ではないし、栽培品目自体が限られていて難しい。まして、果樹となると長い時間を要するので、経営もままならない。また、野菜作りは、人手を必要とするが、高齢化のために栽培自体が出来ない状況にある。中山間地の水田は、今では非常に扱いづらいものになっている。管理されない農地は、たちまち雑草が繁茂し、荒廃している。

圃場の集約化にもいろいろ土地の形状等による制約があり、自ずと限界がある。その規模は諸外国と比べるべくも無く小さい。

このことから、日本の農業は、規模拡大は極めて不十分で諸外国に対抗できないし、自ずと生産性の向上にも限界がある。それ故輸出も横バイで出荷額も縮小傾向にあり、食料安全保障の点から主に国内需要に特化している。また、消費者に対しては、安心、安全の食の大切さをアピールする為、農業に係る情報を広く発信し、小学生による農業体験のカリキュラムが実施されている。

これらを通じて、農業が食だけでなく、環境保全にも大きく貢献していることが認識されて来ている。

今では、地産地消が全国に及んでいる。しかし、食糧自給率を高めるまでには至っていない。

しかし、オランダがとんでもない泥沼の地を干拓し、ＩＴ化と共に園芸農業を発展させ、今や世界有数の農産品の輸出国になっていることから、必ずしも農地の大小だけではない。我が国でも、やり方次第では、発展の可能性はある。

ＴＰＰの加入以来、牧畜、乳製品の生産は北海道のみとなり、生産額も減少している。特に、果樹と野菜はあまり影響を受けずにいるが、果物は一部輸出が増加している。特に、りんご、みかんはヨーロッパや中東で人気があり、将来的に明るさがある。これは、品質が優れているからであり、長い品種改良の歴史と品質管理は決して外国に劣ることはない。しかし既に優秀な種が海外に流出しており、種苗法による財産権の確保が課題である。

現在、零細な農業を行っている人達もいるが、概して経営状態は良くない。耕作放棄地が広がるにつれて、全国的に米作りでの病虫害に悩まされており、耕作を諦める人々も少なくない。

退職者帰農による園芸農家も見られるが、あくまでもリクリエーションの域を出ない。

農業生産法人は、機械化、省力化と合わせ、国の圃場整備補助金により平坦地での農地集積が進んでいる。

また、株式会社による個人経営もみられる。生産物は主に水稲であり、ICT（情報通信技術）を導入することで各種作業を数値化、画像化することでコスト削減に一定の成果を上げている。

一方、規模拡大の難しい中山間地の農業振興であるが、大量生産などによるコスト削減は出来ないので、付加価値を高める方向に向かっている。地域農協と協力のもとに四〇から五〇戸が生産野菜のカットやパッケージ、冷凍加工迄を一貫して、生産から販売までを行う営農組織である。第一次産業から第六次産業へ着実に歩みはじめている。多くの零細農家の集まりである為、高齢者が占める割合は極めて高いが、人手はある。

いわば、第二のシルバーセンターの様なものである。今では、ゲートボールや昼カラオケに明け暮れていた様な人までが働いている。給与は決して高くはないが、働くことで生きがいを見出している人々も多い。

グループでの年商は二〇億円に達するものもあり、年々規模も拡大し、同様の組織が全国に広がりつつある。

また、従来からの伝統的な米作りから、新たな方策が一部地域で始まっている。それは、これまでの田植えや代掻きなどを省略する直播での稲作で、コストカットの方法である。

しかし、新しいやり方がうまく行くとは限らない。そこには、圃場管理の難しさがある。雑草処理である。

農業生産法人は、米作りだけでなく、葉物野菜など都市近郊の園芸農業にも足を伸ばしている。この分野には、野菜工場の稼動も散見される。

森林管理限界の　林業

二〇六〇年、我が国の森林面積は、国土の八〇パーセントまで拡大している。先進国でこんなに森林がある国は少ない。環境面では、二酸化炭素と水を吸収するので良いが、「緑の保全」には木材のリサイクルが必要である。

放置しておいては、森林の保全は出来ない。林業の従事者は、四〇年前の半分になっている。それ故、管理が十分進まず原始林の様相を呈している処も多く、野生生物が繁殖し、植林の被害も多い。

戦後に大規模造林された針葉樹は、機械化、効率化のため、列状間伐が行われており、皆伐されている人工林も少なくない。そして、その後の植林がお座なりになり、土砂崩れの原因になっている。

概して、日本の河川は短くかつ急流のため、洪水の被害が全国的に発生している。一部では、地球温暖化やラニーニャ現象によるもので、想定外であるなどと、実しやかに言われている。それも部分的には当たっているかもしれないが、主な理由は他にある。社会インフラの管理が疎かになっている事である。財政悪化により、十分対応できないのであろうが、心細い限りである。これからも、ずっとこんな事が繰り返され、改善される事もないだろう。

国民は、大雨に一喜一憂し、安心安全はあてに出来ない状況にある。国土は荒れ果て、多くの高齢者が自然の脅威の前になす術もなく、立ち尽くすのである。

国土強靭化計画も不良債権になっている。このため、野生生物が増え、その対策に苦慮している。いつの間にか、シカ、イノシシ、クマなど野生動物の逆襲が始まっている。彼らは人を恐れなくなって、我が物顔で出没している。

これまでの林業の軽視やその時々の為政者の無知、無策による人災である。

国民は大きな災害により、やっと森林の存在価値に気付く事になっている。

経済的な尺度からしか林業を見ていなかった事の反省から、国土保全や森林生態系について学習の機会が生まれている。

人はものを失って初めて、その大切さを知ることになるのだ。

育てる　漁業

二〇三〇年、若年層の魚離れが進み、肉食と逆転している。

日本人にとって魚食文化は大切であるが、初等教育時の食育の欠落により、欧米化が進んで、後戻り出来ない状態にある。だが、世界有数の水産物の輸入国である。水産物の関税は自由化され、現在輸出も一定増加している。

漁業は、主に沿岸漁業で企業規模は零細企業が多く、家族経営も少なくない。近年、養殖漁業も広く行われており、漁獲高も増加している。大手商社等と連携したマグロ、ハマチ養殖は規模も大きく、省力化も進んでいる。それによって生産額も増加傾向にあるが、自然環境に影響される事から一定ではない。

漁業を取り巻く状況は、決して楽観出来る状況にはない。それは、魚食を進めて来なかったことに始まっている。

魚は元来、漁場に近い地域での消費量が多かったが、冷凍技術や物流の発達により、全国的に消費されることになった。

しかし、女性の就業率の向上や共働き世帯の増加などで、家事時間の縮小、外食の拡大による調理食品の増加などが大きく作用している。

養殖には多量の飼料が必要になり、国内だけでは賄えなくなっており、殆どチリ、ペルーからの輸入に頼っている。その為、畜産の二の舞になっている。

古くからある水産加工業も原料を輸入にたよっており、コールドチエーン（冷凍、冷蔵）の発達は、鮮魚から冷凍魚の利用に移っている。また、国内の人手不足や製品のコスト削減の為、タイやベトナムの会社に加工委託している事例も多い。これらの加工品は、どうしても食味の点では鮮魚とは比較にならないが、簡便さから利用が伸びている。

一方、鮮魚のうまさを知っている人も少なくない。だが、子供の頃の食習慣は、大人になっても大きく影響すると言われている。鮮魚の利用が先細りしている事から、このまま推移するのではないのかと心配である。

世界的に日本食の良さが見直されている。現在、学校給食に日本食が推奨され、実施されているが十分ではない。これが、各家庭にも広がって行くことで魚食文化が守られ、我が国の漁業の発展に繋がると思う。しかし、この文化が守られるかどうかは、食生活はもとより、食を支える条件が満たされているかにもよる。

一八歳人口減少の　教育

二〇四〇年、人口の減少と共に少子化の流れは止まらない。これに伴い大学入学の一八歳人口も激減している。大学進学率は、概ね六〇パーセントを上下している。入学希望者の減少により、大学は経営が悪化、これまでに三割が倒産や廃校に、短大はほとんど無きに等しい。

相変わらずの人口の大都市集中により、地方大学にその影響が大きく、軒並み定員割れとなり、見直しが求められている。

高校進学率はほぼ一〇〇パーセントであるが、入学者の減少は、その運営に支障を来たしている。特に私立は、中高一貫校が増えているが、押しなべて経営状況が悪く、法人の倒産や廃校により、学校数は激減している。また、公立も定員減が著しい。

中高等教育に係る経費は、運営効率の悪化で漸増し、財政悪化を招いている。その為、保護者の負担も益々大きくなって、教育の無償化も既に廃止されている。

また、英語教育の早期学習は、未だ目に見えた成果を上げずにいる。きめ細かな教育指導のための三〇人学級が定着しているが、その効果は薄い。これらに係る膨大な血税は、結果として教職の雇用の安定を図っただけのようである。

学校の合併や統廃合は、初等、中等教育に支障が生じ、義務教育の機会均等に陰りが見られる。

少子化や親のライフスタイル、シングルの父母等の生活環境等によって、教育への対応が難しくなっている。子供の過保護や放任、いじめによる登校拒否、学習意欲の低下が子供達の健全育成の支障となっている。

かつて、子供を育てるのは「家庭」であり、地域社会でもあった。大家族制度から核家族に移行することで、家庭環境は悪化している。少子化の為兄弟間での喧嘩や仲直りの仕方、人を思いやる気持ちなどを学ぶ機会が減少し、社会への適応能力が乏しい。核家族制度のデメリットはこれだけでなく、個人主義、利己主義をはびこらせる事になっており、地域社会もこれに対応し難い状況にある。地域社会の繋がりも「隣は何をする人ぞ」と言う風に希薄で、連帯意識は低下している。

教育は、学校教育だけではない。家庭や地域社会で学ぶ教育を軽視してはならない。

だが、今や、躾や挨拶さえ「学校教育」だと誤解している若い母親も多い。しかし、よく考えてみると、その若者を育てたのは誰かとなると、核家族の父や母に行き着く。

時代背景から、子供に関わる環境も一様ではないにしても、日々の生活に追われる中で、十分に教育して来たかと言われれば反省することも多いのであるが。

これまで、子供は「親の背を見て育つ」と言われていたのであるが、現在の仕事やその環境は、既に過去のものである。

親の言うことさえ十分伝わっているのかどうか怪しい。良い習慣も、大切な事も、川の水の様に流れ去っている。残っているのは、喪失感だけだ。

これまでの学校教育に於いて、知識の詰め込み教育は良くない。知識より自ら考える教育が必要だと言われてきたが、あたかも頭に詰めすぎると満杯になるような気持ちにさせる。人間の脳は、一生涯に於いても、能力の二〇パーセントも使用しないと言われており、知識はいくらでも吸収されるものである。そして、記憶した知識と自ら考える力は一体であり、多くの知識が考える力を育むのである。また、知識は最大の安全資産で、誰もこれを盗むことは出来ない。

現在広く行き渡っている副教材のタブレットなどの端末機器は、利用を誤ると教育効果が半減し、学力低下を招くことにもなる。

ＩＴ化は、社会のあらゆる分野に及んでおり、合理化、専門化している。そのスピードは驚くばかりで、高齢者はもとより若者も十分対応し難い世の中になっている。

特にパソコンやスマホの浸透は、究極の便利さを提供すると共に、これらの機器に振り回されている。その為、機器を十分理解することなく取り扱うことや試行錯誤から、あらぬ犯罪に手を染める危険に晒されている。ボタン一押しでとんでもない事が起こるのに、余り躊躇することなく、ポンポンとタッチしている。システムを理解した上でやっているなら良いが、理解も程ほどに実行している。専門家にしても、理解し難い分野でもあるのだが。

どんなスバラシイ機器も扱い方でどうにでもなるし、また、ならないものである。知識がこれらのシステムに追いついていないのである。いわば、赤子にカミソリを持たせるようなものである。

一方、これらの機器の発達による合理化は、我々がこれまで渇望していた物であり、社会に役立っているのであるから、排除すべきものではないが、何事にも順番と言うものがある。これをお座なりにして、手早く済ます事ばかりに走っている。

結果的に、人が自ら考えて処理することをせずに、何事につけてもボタンを押す事だけに終始してしまう。

挙句の果てに、ネット情報を妄信するあまり、間違いであることも知らずに、その情報が正しいと言い張る様なバカな事も起こる。

なぜなら、ＩＴ機器に含まれる情報は膨大で、その中身は玉石混交で、誤りも少なくない。しかし、これらの情報は風のようなもので、捕まえたかと思っているといつの間にか既に消えている、と言うような事もある。

一方、書籍であれば、著者も明らかで、一定それなりの責任もあることから、ネットなんかと比べると情報は安定している。そして、何より電気や通信環境が不要であり、何処にいても何時でも利用できる大きなメリットがある。

しかし、特に若者は、何ごとに付け、手早く、簡単に、事を済ます事が進歩的で良い事だと誤解しており、じっくり辛抱強く調べたりする事が出来なくなっている。

学習することはボタンを押すことではなく、コツコツと反復することで得られるものであり、そのことが教育の基本理念である事が忘れられている。

これからも、しきりにボタンを押したがる人々が増えるだろう。それは、映画『モダンタイムス』のチャップリンのネジ締めのシーンに酷似している。

遂にはボタンを押すことなく、口頭で処理する事にもなっている。「言う」は風の如くで責任の所在も曖昧で、トラブルが多発している。

また、学校間での学力競争も益々激しくなっている。特に大学教育では、高度な専門知識の必要性から、カリキュラムの見直しも行われており、国際的な大学の大競争時代を迎えている。学力が大切なのは仕方がないにしても、心身もそれ以上に尊重されなくてはならない。即ち、一人ひとりの個性を生かす教育や自立心、責任感、愛国心など、人としての健全な成長を育むための教育が、お座なりにされてはならない。

加えて、出稼ぎ外国人労働者の子女の教育がある。移住が定着し、我が国に貢献しているが、その子女の未就学児が増加し、犯罪の温床の一つになっている地域もある。この点から、彼らの初等教育の充実が急務であり、法改正の必要がある。

一方、ＩＴの進展には、目ざましいものがあり、実践的教育が進んでいる。オンライン授業も一般的に利用されて、教育の機会の改善が図られている。しかし、ＩＴやＩＣＴ（情報通信技術）が良い教育を保障してくれる訳ではない。情報技術の進展について行けない生徒が増えているのである。

何時の時代にも、等しく学習することが出来ないのは、今に始まった事ではない。ただ、教える側にも問題が無い訳ではない。ＩＣＴに十分習熟していない教師も、一定数存在している事である。しかし、後者はいずれ解決されるだろう。

ロボットが脇役の　仕事

二〇四〇年、産業の空洞化に一定の回帰現象が起こっている。

特に、ＡＩ（人工知能）に係る医療技術、ロボット、半導体、精密部品など高度な技術を要する分野で顕著である。

労働市場では、正規労働者、非正規労働者の割合にあまり変化はないが、給与体系が二極分化している。加えて、ワークシェアリングにより週休三日制が定着しているので、非正規職員にとっては生きづらさや不満が社会に蔓延している。

機械化やＩＴで省力化は進展しているが、第一次産業では相変わらず労働力不足が続いている。今では、それが第三次産業にも及んでいる。また、高齢者、特に要介護者の増加は、人手を必要としているが、これまでの老老介護では最早賄えず、人材不足は著しい。この分野への技能実習生や出稼ぎ外国人は増加しているが、なお十分ではない。

生産労働人口の減少は、介護保険等が先細りとなり、老人の金銭負担が大きくなっている。即ち経済的に貧しい者は、十分な医療や介護に浴する事が出来なくなりつつある。

既に非生産労働人口は、生産労働人口に近づきつつあり、いずれ働かない人がこれを上回るだろう。この為年金財政は逼迫しており、若者の双肩に負担が重く圧し掛かっている。加えて生活保護世帯も漸増して、貧困家庭も多く貧富の差は顕著である。

働かない人の割合の増加に、政府は定年を七〇歳に引き上げている。新たに、八五歳以降は「超後期高齢者」と位置づけ、増加一方の医療費の削減に取り組んでいる。

一方、生産労働人口の減少は、ＩＴとＡＩによる技術革新をもたらしている。また、少子社会に対応する為の省力化や合理化はロボットを生み出し、大量生産大量消費に貢献している。この為、ロボット産業は、極めて高い成長を維持している。人々の生活は向上し、社会は飛躍的な発展をもたらしている。

反面、これまでにオートメーション化で機械が人から仕事を奪うと言われた時期もあったが、今度は人がロボットに使われると言う事態の再来である。

この為、仕事の分野で人とロボットの住み分けが始まり、仕事を取り巻く環境は大きく変わろうとしている。

既に路線バスや通学バスは無人自動運転も多く稼動している。一方、タクシー、マイカー、電車、集配の営業車は、なお有人運転である。宅配需要の増加の為、運転手の不足解消にはまだ時間が掛かると思われる。

ロボットは、多くの仕事に係って来ているが、主に工場などの産業用であり、人と対等にコミュニケーションが十分出来ているわけではない。あくまでも、人間のアシストの立場である。

職場の中でロボットが本格的に主役を占めるときには、どんなロボットと人間の関係になるのだろうか。

「R課長（ロボット）、昨日の案件はどう措置したらよいのでしょうか？」と言う様な会話が交わされるのだろうか。

会社の案内や病院での受付などの人型ロボット、子供や高齢者向けの愛玩用のロボ犬、ロボット赤ちゃん、人の身体をアシストする為のもの、アンドロイド型のものなど、多くの分野に広く浸透している。

中でも、子供や高齢者向けのロボ犬、ロボ猫も大きく進化しており、本物の動物に近づいている。一見ロボットであるかどうかさえ判らない位である。

その為、これまで増加していたペットとしての犬猫の飼育頭数は減少に転じている。現代犬猫は約六〇〇〇万頭で、二〇年前の三分の一にまで減少している。

この影響は、他のペットも例外ではない。ペット関連も衰退に向かっており、今まで販売領域を広げていたペットフードコーナーも縮小や廃止に追い込まれている。

いずれのロボットもまだ、人に取って変わる事は出来ないが、使用する分野によっては人間以上のものがある。

二〇五〇年には、更に人間に近いロボット人間が誕生することになった。

その為、より多くの労働者、技術者が雇用されると共に、失業率も改善、経済も活性化されると言う好循環の社会になっている。このことから、ロボットは必ずしも人を排除することにはならず、共存できると考えられて来た。

しかし、皮肉にも、このことが次第にＡＩに仕事を奪われ、余剰労働人口を増やし、失業率が高止まりすることになって来たのである。

二〇〇六年には、ＡＩの深層学習（ディープラーニング）は、最難関の頭脳ゲームである囲碁の世界で人の思考を超えたと言われている。ある意味、人間の能力を凌駕している。

二〇六〇年になると、ＡＩがロボットに組み込まれることで、就労分野によっては人の代替をするまでになって、就労機会が激減している。

ロボットに職を奪われた人々は、収入が無くなり生活苦の為、都市の至る処でホームレスになり路上生活を余儀なくされている。

社会は沈滞し、経済は激しいデフレに見舞われ、治安も悪化の一途である。多くの失業者が街頭に溢れ、一部は暴徒化の上、商品の略奪やロボット工場の破壊に向かっている。

ロボットが人をアシストし、社会に貢献するものとの思いは、儚く裏切られ、一人歩きを始めており、一部には制御し難いロボットも出現している。

ロボット人間（ロボ人間）は、今や人間と共存し難い関係になっている。それは何もロボットが増えた事だけではない。整備不良ロボットが主人の意志に反して暴走したり、人間に危害を加えたりするのである。

ロボ人間による死傷者は年間五万人にも達している。ロボットには定期検査が義務付けられているものの、整備不良やデータの入力ミスなどによって誤作動を起こすのである。また、ロボ人間は、その作りが極度に繊細で精密な上、一度故障すると部品等の交換に多額の費用と時間が掛かることになる。

故障したロボ人間や旧式のものが各家の片隅に放置されて、朽ち果てている。いずれ、粗大ゴミとなり、くず鉄としてリサイクルされる運命になっている。

ロボ人間の寿命は約一〇年であるが、旧いものは一五年を超えているものもある。

二〇七〇年現在、ロボ人間は約二〇〇〇万体に及んでおり、ロボ犬、ロボ猫は約三〇〇〇万体である。なお、これらのロボットは、全てバッテリーがエネルギーの源であるが、このシステムの進歩はあまりない。蓄電システムの改良が進まないのは、バッテリーの宿命でもあるだろう。

ロボットの進出に伴って失業率が高止まりしており、政府は、ロボ人間の人数の上限を打ち出している。ロボットと人間との敵対関係は大きくなってはいるが、まだ制御出来ない状況ではない。

要は、人間がどの様にロボットを使うかであるだろう。道具や機械としてのロボットは、人間にとって役立つし主導権を握られることにはならない。ロボットに全てを委ねてはならないし、電源スイッチは人の手中に留め置かなくてはならない。ロボットと人間は敵対関係ではなく、友好協力関係にある。

ロボットの職場は、広範囲に及んでいるが、主に工場、倉庫内の単純労働、銀行の受付業務、飲食業のウェイトレス、研究、弁護士の助手、路線バスのドライバー、家庭用などである。中でも家庭用ロボ人間は、高齢者、一人世帯も多いことから、需要も多く、今では簡単な雑用もこなせるので人気が出ている。なお、ペット用のロボ犬、ロボ猫は横バイに推移している。

晩婚化での　結婚

鳥は強さより美しさを競い、種の存続を図って来たと言われている。

これに反して人間は、動物的本能から離脱の方向に舵をきったのだろうか。

二〇三〇年、相変わらずの晩婚化と共に独身化が進んでいる。

一方、離婚も増加し、併せて生涯独身者の割合が高い。

近代社会は、結婚や出産を個人の選択としながらも、一方では国家が介入して来た。これは近代社会の特徴でもあるが、国の存続そのものが、個人の決定に委ねられていることの矛盾である。今なお、生涯未婚率は高止まりしており、下がる要素は少ない。むしろ、今後更に上がる事になるだろう。

それは、産業構造の革新により、ＡＩやロボットが失業者の増加に拍車を掛けている為でもある。

結婚や出産が経済的な要素によって、どの程度影響を受けるかは定かではないが、戦中、戦後の日本経済が極度に疲弊した時期、「生めよ、増やせよ」と言う国の推奨は、あったにしても、飛躍的に伸びた事である。そうであるなら出産は、若者本人の意識や考え方に大きく依存している事になる。

　これまで、非正規職員の増加や貧富の格差拡大が大きく影響していると言われて来たが、それは必ずしも正しくない。特に雇用状況が悪く、非正規雇用の割合が高い沖縄県に於いて、合計特殊出生率は日本一である。また、海外の事例、サブサハラ（アフリカ・サハラ砂漠以南四八か国）では、経済的貧困が進むにつれて、子供が増えているのである。この地域の人口増加は、中国やインドを上回っており、二〇二〇年からの二〇年間で二倍の二〇億人にもなっている。今後もなお増加傾向にある。

　過去には、我が国でも貧乏人の子沢山と言われたものである。生物の世界では、環境の急激な変化や生命の危機的状況になると、子孫を残す為に大発生することが知られている。このことは、人間には当てはまらないとは言えないと思う。

　なお、サブサハラは、貧困だけではない。後進国の宿命でもある、内乱や社会体制の不安定から、飢餓や生命の危険に晒されている。明日の命の保障も定かでない社会は、子孫を残すことが唯一の将来への希望でもある。

歴史を遡れば、我が国は大家族制度の下、その殆どは農家や自営業であり、結婚も家と家の結びつきであった。旧民法の家督相続のもとでは、結婚は、家の存続の為のいわば半強制によって守られて来たのである。長男には嫁を、長女には婿をとって一家の生活の安定と永続を求めて来た。これは、皆で支えあって経済的自立を図って来たと言える。

例えば、ライオンの社会が集団で生活し、主に雌が獲物を獲得して生存しているのに似ている。ここでは、逸れ雄ライオンになることは死を意味している。その為命を賭けて雌を奪うのである。

明治維新以降は、多くの人が雇用される身となり、大家族から核家族に移行し現在に至っている。大家族の人達が、各々分家し家族を持ったのである。

過去には、「一人扶持は食えぬが、二人扶持なら食える」と言われたものである。それは、経済が十分に発達してなかった頃の状況を表している。

その後、社会の発展と共に経済的にも余裕が生まれ、いわゆる、一億総中流社会が出現したのである。しかし、幾多の災害やリーマンショックなど社会の浮沈も激しくなり、失業者の増加や貧富の差が世界的に拡大した。

我が国も例外ではなく、失業率も高止まりの状態になった。確か、この頃からパラサイトシングルやフリーター、ニートなどの言葉が巷にあふれたと思う。これと時期を同じくして、晩婚化や未婚化が注目される様になった。

当時、フリーターとは、それがさも夢のような仕事であるかの如く喧伝され、我ながら驚いたものである。好きな時に働いて、一定金が貯まると旅行などでエンジョイし、無くなると又働くと言う自由極まる働き方である。

しかし、今になってそんな夢のような仕事はなく、単なる派遣やアルバイター、現在の非正規職員の事であったのである。かつては後進国であった中国も、まだ貧富の差が激しいものの、次第に中流層が増え、「一人扶持も食えるが、二人扶持なら尚食える」社会になって来たのである。

このことから、結婚も出産も社会の発展に併せ、裕福になっても自ずと減少する傾向がある。

特にパラサイトシングルは、我が国特有の現象である。西欧や米国では、学卒の後成人すれば、いかに所得が低くとも独立する事が普通であり、低所得者同士の結婚や同棲も多い。

高度経済成長に伴い、もう戦後ではないと言われた。多くがサラリーマンとして雇用され、三種の神器である家電や車を購入出来るまでに所得が増加した頃が発端である。リーマンショック等による経済停滞する頃にも増加し、そのまま続いているのである。

多くの企業が事業を改革することにより、非正規雇用を増大することで事業の安定化を図るようになり、所得格差も顕著になって来た。ここでは、低学歴の者が非正規や派遣に回される傾向にある。低所得の為、自立や結婚生活を諦める様にもなった。

しかし、完全に結婚を諦めるのではなく、実家に同居すると言う待機のスタイルが浸透したのである。それは、独身男性だけでなく、特に女性に多く見られる。ここでは、家計負担の多くが親によって支えられ、若者の可処分所得を増加させる事になり、独身貴族と呼ばれたりもした。

人間は得てして一度裕福な生活を経験すると、そのレベルを下げる事は極めて難しいものであり、これに併せて意識も高止まりする。そんなぬるま湯の生活は、多くの若者にとって大切な婚期を逃す事に作用し、当初描いていた結婚への強い憧れも縮小することになる。このことが結果的に、晩婚化による出生率の低下や生涯未婚者の増加になり、少子化を加速する事に繋がっている。

結婚は経済的理由によっても左右される。また、経済的に十分でない若者の結婚も少なくないが、概して経済基盤が弱く、離婚に至るケースも多い。

我が国は、今後も所得格差はより一層加速される事が予想されるので、少子化を食い止めるには、新たな所得格差に対する抜本的な対策が求められる。

また、いかに所得格差が改善に向かっても、当の男女が結婚に進まなくては、意味をなさない。結婚相談所や出会い系サイト、企業や自治体による交際イベントなど多彩であるが、当事者意識が低く、結果は押しなべて低調である。しかし、男女の交際支援の機会が多い方が結果はより良い方向へ向かうだろう。

結婚や出産の問題は、最後には「人生いかに生きるべきか」と言う大きな命題に行き着く事になる。条件整備も一定の効果はあろうが、結婚や出産が人の生きがいに大きく影響していること、より良い社会がやって来ると言う将来に対するインセンティブ（動機づけ）を醸成することが、生涯未婚率を下げる力になる。

こうした一人世帯の増加は、介護の分野にも影響を及ぼし、孤独死も日常的に見られる。以前は孤独死がニュースになったのであるが、今はそれも既に無い。介護施設の利用も金銭的に大きな負担である。

独身者は、自分自身の身を守る術は自分以外に無く、極力弱い立場にある。近年、独身者によるルームシェアリングが増加している。これは、老後一人で生きるのは、孤立や寂しさに耐えられないからか、それともエコであるが故なのだろうか。

老後に最も避けなければならないのは、「孤独と退屈」であると言われている。独身者は、図らずも老後にこの二つを併せ持つ事になる。「孤」とは、幼くして親の無いこと。「独」とは、歳老いて子供の無いこと。とは意味深長である。

このような状態を散見するに付け、やはりどんな理由があるにしろ、結婚する事が、より良い老後を送る為の極めて大切な要件であるのに変わりはない。

老後の独居生活のデメリットは計り知れない。若い頃にはそんな事が分からないから、年老いて考えあぐんでも後の祭りである。

歳を重ねても、結婚を願う人々も少なくないだろう。諦めずに伴侶を求めて欲しい。そうする事が自分だけでなく、我が国の未来に貢献することになるのだから。人は、所詮自分で自分の背中を押すしかないのだ。

特に、独身者にとって、中年以降になってのリストラや早期退職に出会うようなケースでは、経済的にも精神的にも打撃は大きい。と言うのは、その頃には親が高齢で介護を必要としたり、既に亡くなっている頃である。前者に於いては、介護の為新たな職に就くことさえ難しい状況が生まれる。仮に親がいないケースについても、自分を心配してくれる人も自分を必要としてくれる人もいないことから「アイデンティティー（主体性）」の確保もできず、絶望感に苛まれる。

残りの人生は、自身の不運と闘いながら生きることになる。

新たなウイルスによる　病気

二〇〇六年、ＩＰＳ細胞（人工多能性幹細胞）が山中伸弥教授によって発見されてから、早や三〇年余りが過ぎたのであるが、その間、多くの人工臓器や歯の再生などオーダーメイドの移植医療も進んでいる。しかし、医療の進歩に大変貢献しているのであるが、皮肉にもまた、新たな病気を生む事にもなっている。

一方、薬の開発にも目ざましいものがある。これまで難しいと言われていたアレルギー性鼻炎や喘息の薬が開発され、患者の喜びはひとしおである。しかし、多くの病気に対して薬はなお追いついていないし、対症療法に終始しているものも多い。中でも我が国の製薬能力には優れたものがあり、今後の開発に期待したい。高齢者に多い関節リュウマチやアルツハイマー治療薬などは多くの人が苦しんでおり対応が望まれる。

世界的に薬を作れるのは主にアメリカ、イギリス、スイス、フランス、日本などである。

その他にも製薬している国はあるが、主に特許切れのジェネリックや原薬の製造など、いわばライセンスでの生産である。

一つの特効薬を開発するのには、何百億という費用と長い時間を必要とするので、何時出来るか判らない薬の開発に企業として投資するには大変なリスクと資金、技術力の後ろ盾が無くては出来ない。小さな会社では物理的に無理なことが多い。これまで、資金投入して日の目を見なかった事例は山ほどある。

いまだ、多くの病気に対応出来ないのは、病気そのものがどの様に発生し、細菌やウイルス、DNAなどがどの様に関わっているかが完全に解明出来ず、難病が多数存在する為である。

その一つがガンであり、この治療薬が発明されればノーベル賞ものと言われて来たが、いまだ、出来ていない。一部には、小野薬品のオプジーボなど月間薬価が数百万円に上るものもあるが、それとて必ずしも決定打ではない。今後二〇七〇年頃までに果たして出来ているかどうか疑わしい。

人間の身体は、精緻なバランスの上に成立しているので、新たな臓器を移植しても、他の臓器が不調になるなどの諸問題が出て来た。耐用年数の過ぎたものの使用には、自ずと限界があるのだろう。

それ故、二〇七〇年現在、平均寿命は、男で八五歳、女で九一歳に留まっている。

昔から、人は風邪で亡くなると言われているが、風邪症候群の一つであるウイルスが時々発生し大流行している。このウイルスが変異する為、薬もワクチンもこれに追いつかないので、病気と薬の開発がいたちごっこになっている。

一方、医療機器の進歩も日進月歩である。MR、MRI、PETなどは、身体のあらゆる部分を映像化し、その状況を精密に観察、特定することが可能になっている。この為今まで自覚症状も無く病気と考えなかった人も病人として扱われる。標準値の指標が変更される事で、大量の病人が発生している。

こんな事では、病院は治療に忙殺される事になり、財政的にも保険制度が破綻しかねない。

昔から、「病は気から」と言われているが、なるほどと思う事も多い。人の身体は全て脳や神経で身体の不具合を感知しているのであるが、脳は極めて複雑な働きをするため、チョットしたサインでも過敏に反応し、病気と考えたりそうでなかったりするものである。病状があっても、医者から問題無いと言われればそうとも思う。

また、病気は九五パーセントが自然治癒するとも言われている。これは医者に掛かっても掛からなくても、殆ど治癒することにもなる。また、医者に掛かっても掛からなくても治癒しないものもある。それなら、とんでもないケガや激痛を伴うもの、生死を左右するもの等重篤な病状以外は、確率の点から言えば、早々と受診せずに一定様子を見ていたら、多くの病気も治癒する事になる。

しかし、人々は病状が悪化してしまうのではないかと心配で仕方がない。そんな時には市販薬や常備薬は役に立つものである。それは必ずしも完治出来なくても、症状が緩和され病気が良くなるという気の持ちようで、元気になるものである。

ドラッグストアーが何処でも盛況で乱立している。薬の品揃えも多く驚くばかりであるが良いことばかりではない。それは情報過多の中で、素人判断による投薬である。

昔から薬は全て「毒である」と言われているように、飲むことで症状が悪化することもある。副作用などない薬は無きに等しいことから、薬の安易な使用は禁物である。何でも「過ぎたるは、及ばざるがごとし」なのだ。

そもそも新たな病気のもととなるウイルスや細菌が生まれるのは、人間が長生きすることに遠因がある。なぜなら、宿主が亡くなると寄生するウイルスや細菌も死滅する事になることでも分かる。このことから、短命の動物は多産であることには合理性がある。ウイルスの寿命がどれ位なのか知らないが、短期間に増殖するのは多分短いからと思う。そして、突然変異と言う裏技である。

変異によって生命を生き長らえるのである。あらゆる生物は、進化することで地球上に存在して来た。人間がウイルスと闘い方を研究し勝敗を繰り返していること、その事が進化のプロセスにすぎない。

新型コロナウイルスの宿主はコウモリと言われている。元来人間とは、共存していなかったものであるが、これが進化して寄生出来る方法を編み出したのだろう。これはある種の進化とも考えられる。

人口の増加は、食糧の量によって規定されると言われている。人間が増えればウイルスもその分増えて来る。例えるなら、ウイルスにとって人間は食糧みたいなものである。

ウイルスと人間は、今後も共存することになるだろう。このことは、まだ解明されずにいる。

余暇社会の　娯楽

余暇活動は、多様化が進んでいる。

映画、演劇、ラジオは押しなべて人気がない。カラオケ、テレビ、書籍、新聞は、減少気味であるが、なお親しまれている。また、賭け事であるパチンコ、競馬、競輪、ボート、カジノなどはまだ一部の人達に根強い人気がある。しかし、新たに加わったカジノなど賭け事によるギャンブル依存症は、増加している。今後、公による対策や措置が実施されなくてはならない。

一九六〇年に国民的スポーツとなったボーリングは、かつては地方においても大きなピンを屋根に乗せた施設が目立ったのであるが、今は見つけるのも難しい。最盛期には競技人口が三七〇〇万人あったものが、二〇三〇年には五〇〇万人程になっている。首都圏でも施設の減少が止まらず三〇〇箇所余りで、無くなるのも時間の問題である。

また、高度成長期に高齢者向けスポーツとして全国的に浸透し、至る処で競技の様子を見られたゲートボールがある。しかし、老人会や自治会での組織化が推奨された為、若者への普及は妨げられ、老人向けのスポーツとして定着したのである。結局、娯楽の多様化と共に元気な高齢者から敬遠されることになり、一九九〇年代には六〇〇万人いた競技人口は二〇三〇年には五〇万人に激減している。良く似たスポーツにゴルフがあるが、これも減少傾向が著しい。

世界で第二位のゴルフ人口を抱える我が国は、これまで多くを占めていた六〇歳以上、特に団塊世代が六五歳以上になった時点で顕著であり、二〇三〇年には五〇〇万人を割っている。

幅広い年齢層に支持されているカラオケは、その多くが飲食を伴っている事から、内需の拡大にも高齢者の健康管理や生きがいにも一役買っている。参加人口は、二〇一八年には四六七〇万人を数えていたが、二〇三〇年には四二〇〇万人になっている。約一〇年で一〇パーセントの減少である。二〇二〇年には新型コロナウイルスの影響で一時激減したが、その後持ち直している。身近で手軽な娯楽であるが、ここでも少子化の影響はどうしても避けられない状況にある。

少子化は、結果的に人口減少の連鎖と言う大きな壁に突き当たる事になる。レジャーが多彩であるが故に栄枯盛衰は避けられないものであり、ブームは何時か終わる。

一方、野外スポーツ、特に登山、スキー、スノボーは先細りしている。トレーニングジム、スイミングスクールなど屋内スポーツは、手軽に健康管理が出来るので、特に中高年の利用が多く、生活に潤いを与えている。

身体機能を健全に保つ事で、病気の予防、医療費の削減、行動範囲の広がりによる生きがいなど多くのメリットがある。二〇三〇年には、これらの事業を振興するための方策として国は「スポーツトレーナー制度」を新設し、全国に有資格者を配置している。

トレーナーは各市町村に於いて生涯スポーツを推進し、指導的役割を担っている。ここでは、各種スポーツを実施することのメリットをポイント制度化するので人々の関心が高い。年間のスポーツの実施状況に応じて、市販医療薬の購入割引や病院での医療負担の軽減措置を行っている。

これまで拡大一方の国民医療費に歯止めがかかり、財政負担の軽減に大きく寄与して来た。この為今やレジャーでの健康施策は、産業の一つとして重視されている。

経済の発展は、健康産業によって支えられている部分も多いし、中高齢者に支持されてもいる。ＡＩと併せて、個人の健康が国の後ろ盾によって確固としたものになっており、医療機関と連携しているリストウォッチは、時事刻々身体の状況を知らせてくれるし、病状の悪化も予知できる。そして、これらのビッグデータは、国民が将来罹患するかも知れない病気や当人の寿命さえも数値化し、予報してくれるシステムになっている。不慮の事故を除いて、毎日を安全に生活できる事は、孤独死を予防すると共に、人に生きがいと計画的な人生の営みを保障してくれる。

しかし、余りにも進歩したこれらのシステムに問題が無い訳ではない。それは、これまで、病気と気付いていなかった多くの人に病人と言うレッテルを貼ることになっている。一時的にしろ、結果的に医療需要を高める事になってきたのは、皮肉な事である。

レジャーについては、二極分化の傾向に加えて年齢層による多極化、多様化も見逃せない。若年層ではＳＮＳやツィッターなどのデジタルコミュニケーション、カラオケや映画、テーマパークなど、より低い年齢層ではテレビゲームやeスポーツなど主にインドアーでのもの、中年層になるとギャンブル系、生活習慣病の兆候が現れる頃からは、トレーニングジムやキャンプングなどのアウトドアーへ向かっている。高齢者はウオーキングや旅行、市民農園への参加などがある。この一連の流れは、インからアウトへ向かっている。人も動物的である事から自然回帰の本能がそうさせるのであろう。

戦後の飛躍的な経済成長と相まってレジャー産業も右肩上がりの成長を続けて来た。所得の向上と共に中流意識が広がり、一億総中流と言われるまでになった。レジャーについても、これまで多くのものが衰退し、また新しく生まれて来た。この分野は経済の動向に合わせて盛衰を繰り返して来たと言って良い。それは、時代の流れであったと言われるが、これに参加する人々と企業が結託してブームを作って来た面もある。

特に日本人の性癖かどうか定かではないが、概して熱し易く冷め易い傾向が見られる。何をしても余り長続きせず、興味を失う。いわば、飽き症なのである。そして、何かのきっかけでニュースなど話題に上ると、人々が吸い寄せられるように集まって来る。まるで、砂糖にアリが集まる様な状況になっている。

ひょっとしたら、皆が集まっているから多分面白いだろうと考えるのか、或いは、自分も参加しなくては時代の流れに取り残されると言う強迫観念につき動かされるのだろうか。

しかし、実際に見たり、やったりしたものの、思った程でも無い事が多いので、長続きしない。人生が有限であるが故に、やりたい事は、やっておくと言う考えも分からない訳ではない。

以前、『人生でやりたい100のバケツリスト』（ロバート・ハリス）が人々の関心を集めた事があるが、我が国のケースでは押しなべてまっとうな内容だった。例えば、世界一周したい、ペルーのマチュピチュに行きたい、ウユニ塩湖で泳いでみたい、など海外旅行にまつわるものが多かった。これらの望みは背伸びすれば手の届く可能性の高いものである。一方、出来もしないであろう事は、はなから望んでいないのである。

これからのレジャーにも言えるだろう。結局、レジャーとは多くの人にとって、日々の生活に生きがいや将来への希望を育むための潤滑油の一つなのだ。

また、レジャーとはニュアンスが相違するが、医療ツーリズムがある。これは、古くから温泉の湯治として日本にあるが、居住国とは異なる国や地域を訪ねて医療サービスを受けるものである。富裕層が高度医療を受ける為に先進国へ向かう人々と、先進国の医療費が高額で受診できない人々が、同等の医療を安く提供している新興国へ向かう二つのケースがある。

特に皆保険で医療費が比較的安く、かつ高度な医療を提供している日本に関心が集まっており、インバウンドと併せて人気がある。我が国からは、米国や韓国で臓器移植や美容整形を受けている。保険適用の無い高度医療に於いて医療ツーリズムの利用が増加している。

国内旅行や買い物、ショッピングは、女性に好まれている。また、若年層は、体験型の旅行、農泊、ボランティア活動、バーチャル旅行等多彩である。海外旅行、特にクルーズ旅行は高齢者が多い。旅の思い出は、人生の大切な宝物である。

経済水準とレジャーには、相関関係があると言われている。余暇をどの様に過ごすかは、個人個人の判断によるが、時代の変遷と共に廃れるもの、更に発達するものがある。人為的なブームなど様々である。

富の二極分化は、レジャーにも表れている。一つは旅行やショッピング、ギャンブル等一定金銭のかかるもの、もう一つはカラオケ、テレビ、ゲーム、映画等余り金銭の掛からないものに分化している。

観光立国を目指し、インバウンドを呼び込む宿泊業界にも二極分化の波が押寄せている。これまでの労働者用の低廉な宿が改装され、ビジネスホテル風に、加えて民宿の規制が緩和されて広く浸透しており、素の日本文化に関心のある外国人に親しまれている。

一方、高級路線を歩む外国のホテルチェーンも、主要な駅前や観光地に展開している。

インターネットの普及に伴い、スマホやタブレットなど端末機器によるテレビゲームやeスポーツの人気が続いている。これは手軽な上に次々と新しいソフトが売り出されることで市場規模も大きなものになっている。

ＩＴ社会が定着する中でＶＲ（バーチャルリアリティー）は、旅行、テーマパークや宇宙旅行にも及んでおり、高齢者や若者に楽しまれている。体力も不要で費用も少なくて済むことから、テレビゲームの様に広く普及している。海外旅行も思いのままで、手で触れ、風を感じながら食事も出来る。

仮想空間にも関わらず、現実のものとして体験出来る魅力は、時代が大きく変わったことを如実に知らされる。ＶＲの技術は今後も人が生活し、体験することの分野に波及するだろう。

遂には、何が現実か仮想かの区分さえ分からなくなり、そこでは、「死」さえも乗り超えられる。例えば、既に亡くなっている父や母と一緒に食事をして、楽しく生活する事も可能である。それは、未来にも飛んでいけるし、過去にも遡れる。宇宙旅行も自由自在で、ＥＴにも逢えるだろう。しかし、これらは所詮映像の世界で楽しむことになり、実体験することではないので魅力は半減する。

いかに定年が七〇歳になったとは言え、寿命も延びていることから、退職後のおよそ三〇年は時間的に十分余裕がある。退職後の有閑地獄に陥らない為に、退職前に何か一つでも趣味などを育てておく事が大切である。そうすれば、長い仕事から解放された後に、楽しい老後を過ごすことが出来るだろう。

しかし、老後には病気や金銭など厳しい課題も用意されている。働くだけ働いて、老後も十分楽しむ事なく亡くなる人も少なくない。

いずれにしても、少しでも世の中に貢献し、多くの楽しみと自分自身の存在価値を認めた者が勝者である。

案外、老後は、夏休みより速く過ぎるものだ。

第四章　これからの隣国

がむしゃら一帯一路の　中国

中国は「一帯一路」構想のもとに、資源外交を進めている。

世界の工場と言われて久しいが、そのなりふり構わぬやり方は、未だ世界から激しい批判の的である。共産党の横暴は一七世紀の大航海時代を彷彿とさせる様な領土拡張にも見られ、周辺諸国との争乱を度々発生させて来た。

一方、国内に目を向けると、相変わらず貧富の差が激しく、農村は疲弊している。巨大化した国有企業は、概して経営効率が悪く倒産も多い。そして、国有企業を解雇された彷徨える人々は何千万人とも言われ、失業率も高止まりしている。日々新たな規模の小さい多くの企業が生まれ、また多くが消えている。

社会主義社会を標榜しながら、多くの国民はその恩恵を受けてはいない。その為人々には、激しい不満が鬱積しており、何時暴動が起こっても可笑しくない。いや、現在も起こっているが、何とか「力」で抑え込んでいる。

都市と農村の格差拡大に伴い、農村は人口が減少し、食糧生産にも支障を来たしている。近年の病虫害の発生がこれに拍車をかけ、食糧危機にある。

当局の世界制覇と近代化計画は、至る所にその綻びが生じている。一方、あらゆる所に高速道路や鉄道を整備しているが、人々の生活とのアンバランスは驚くばかりである。

供給は需要を促すと言われるが構想は遠大である。いかに近代化に到達したと謳ってみても、その足元を見れば分かる。泥靴を履いてスーツを着ている様である。メンツに拘ると言っても、どれ程背伸びをしたいのか、理解に苦しむ。

皆、既に彼の国の中身がどんなものかを知っている。

共産党一党独裁は、泥まみれの権力闘争によって何とか持ちこたえられている。「人治主義」のため、何時大きく政策や方針が激変するか見通せない。前任者を粛清することで後任者が決まる様な社会は、空恐ろしい限りである。

ここでは、何が起こっても驚いてはならないし、信じてもいけない。しかし、民衆は、何時か、自分達の置かれている立場がどんなものか知る時が来ると思う。それまでの過渡的な政権である。

しかし、それが何時なのかは、誰にも分からない。対外的な戦乱に沈んだ時なのか、疫病や飢餓で何百万人が死んだ時なのか、何かのきっかけが端緒になるのは確かである。

二〇二八年には、湖南省長沙で新たなコロナウイルスが発生、蔓延し約一〇万人が死亡したが、この国には何等影響が無かったかの様だ。

二〇三一年には、ＧＤＰは米国を抜いて世界一になったと喧伝しているが、彼の国の統計などはあまり当てにならないものである。

国内の事情は、なお貧富の差が激しく、国民一人当たりのＧＤＰは我が国の約三割である。

経済成長率は、三パーセントを上下しており、人件費の高騰や高齢化が加速している事に因があり、財政も逼迫している。これは、労働生産人口の減少を意味し、かつての一人っ子政策の弊害が労働市場に影響を与えている。

今や、共産党下の国有企業も箱物だけが大きくなり過ぎたことで、抱える従業員も膨大である。経済の停滞により、労働生産性も低下し、今や死に体の企業も多い。先進国にキャッチアップするため資本主義社会の良いとこ取りをして、発展した国家資本主義もここに来て足かせとなり、地に足を付けたものにはならなかった。

制度のアンバランスは国内的に幾多の問題を抱える事になっている。一方、対外的には、これまでの発展過程で、海外への資源外交や多大な投資が彼の国の独りよがりの悪癖から抜ける事が出来ず、なお自分達の利益追求にのみ注力することから、諸外国との係争が絶えず、世界を敵に回している。

この為世界の工場の生産物の消費先と目論んでいた多くのプロジェクトは道半ばで頓挫し、これの解消の為の多くの仕掛け品や行き場の無い製品が工場内に積み上がっている。一部には、利益を度外視した投げ売りなどが横行し、世界での正常な商行為に混乱が生じている。

二〇三二年には、農作物に病虫害が大発生し新たな食糧危機が生じ、各地で農民の蜂起や暴動が頻発、これが全国に飛び火した。これに軍が鎮圧に乗り出し、三百万人もの死傷者が発生し、第二の文化大革命かと言われている。これに伴って政権内の権力争いも起こり、粛清された関係者も夥しいものとなったのである。

暴動はチベット、ラサに於いても発生し、軍も手に負えない事態となった。チベット独立の動きは、津波の如く押し寄せ、二〇三三年、当局は独立を認めざるを得ない状況に陥ったのである。

　中国による長い抑圧と苦難の末に、チベットは晴れて独立を果たしたのである。チベットは、永遠であれ、永遠なり。

　これを契機に、中国は国政選挙を実施し、いわゆる民主主義と言われるものの一端を見せる事となる。しかし、これが共産党の解党には至らず、なおボロボロになりながらも、ゾンビの様に生き永らえる事となった。

　一方、念願の台湾の統合については、これまで何度も軍の脅しや領海侵入、砲撃などの局地的紛争が発生している。

　二〇三六年、中国人民軍は軍事訓練を装いながら台湾と尖閣諸島に同時侵攻し、台湾と日本がこれを阻止、反撃、米軍も加勢して激しい戦闘状態になり、双方に四万七千人余りの死傷者と艦船等に大きな被害が発生した。一時沈静化しているが未だ燻っている。台湾、尖閣問題は、今なお非常に危うい状況にある。

　二〇四〇年には、与党として国民党（台湾）が選挙で勝利し、統合に傾斜しているが、民衆はこれに反発し、各地でデモも多発している。大規模デモや騒乱は、独立のきっかけになるかも知れない。そのとき、党は力づくで再度侵攻を試みることになるのだろうか。

今や、益々高齢化が進み、年金支給にも支障が出て、毎年支給率を引き下げており、国民の不満も限界に来ている。加えて国有企業の低迷や合理化などで失業率も上昇に転じており、海外移民も増加傾向にある。

二〇五〇年には、経済成長率は一パーセント程度になり、GDPは下振れしている。この為、新興国インドにも追い抜かれ世界第三位に甘んじている。

党は体制立て直しに躍起になっているが、未だその成果は見えていない。これまで構築して来たインフラや膨大な施設は老朽化しているが、その維持管理さえ十分ではなく、宝の持ち腐れになっているものも多い。

個人当たりのGDPの伸びも期待出来ず、中折れしている。党に於いても汚職や内部の権力抗争がはびこり制御出来ない事態である。

マルクス・エンゲルスの理想社会の実現には程遠く、失業と人間不信の坩堝の中で人民は右往左往している。いわば、大きく傾いたビルが是正出来ないのと同じで、一度スクラップした後に新たな体制を構築する必要に迫られている。

いかに経済が衰退に向かっていても、台湾統合の意志はなお強いものがある。

かつて為政者が、統合には一〇〇年掛かっても良いと表明していたのは、何としても和合の末に台湾を取り込みたいと言う心の内を示していたものだろう。

しかし、彼の国は、言う事とする事は決して同じではないし、一夜の内に豹変する事も珍しい事ではない。何事に於いても火事場泥棒の様に混乱に乗じて事に当たることや、サラミ戦略と言われる様に、サラミを少しずつ切り取る如く、秘かに事を行う事が常套手段でもある。いわば独善と騙し打ちである。その戦略は国外だけではない。国内に於いてもこのやり方で人民を騙し統治して来たのである。

しかし、あらゆる情報が世界中を駆け巡る現在に於いて、一方的に情報を全てシャットアウトする事にも自ずと限界がある。アリの一穴が大きな堤防を決壊させる如く、一度溢れ出すと留めようがないものである。統治される側も、何時までも素直に従う事はないだろう。

経済が低迷し、人民が疲弊した時こそが為政者にとっては一つのチャンスになり得る。二〇六〇年にはその時を迎える条件が出来つつある。

台湾統合には、どの様な騙しや兵法が用いられるのだろうか。しかし、事は平和裏に進む事は極めて難しい。何れ、また戦乱になると思われるが、その時には我が国はどの様に対応するのだろうか。第三次世界大戦は予想したくもないが、今現実のものになろうとしている。

統一悲願の　韓国

韓国は近くて遠い国であると言われる。

我が国との交流は長い歴史があるが、距離的に近いが故に難しさがあるのだろうか。

事ある毎に、何かと因縁を付け、比較し、声高に吹聴する様は彼等の精神状態を疑う。それは、この民族の持つ悪しき性によるものかも知れない。

或いは、彼の国を統治する為政者の戦略の一つでもある。

しかし、地政学的な点では、同じ自由主義社会として存在していることからは逃れられない。

二〇二七年には北朝鮮ゲリラの三八度線侵攻により戦乱が発生し、多数の死傷者が生じる事になったが、現在は沈静化している。

朝鮮戦争以降、国土の分割という痛ましい歴史を歩んできた事から、国の統一は悲願であると思う。あれから、もう一〇〇年の歳月が得ようとしているのに、その展望は開けずにいる。もう、時を巻き戻すことは出来ないのだろうか。

瀬戸際外交の　北朝鮮

米ソの代理戦争でもあった朝鮮戦争終結から、既に長い年月が流れた。世界的に見て数少ない社会主義国でもある。

金政権としては、決して長くはないが、韓国とは主義、主張が異なる故に「統一国家」になる為には、幾つものハードルがある。それは、単独でどうこうするのには、まだ力不足である。その為、核をちらつかせて誇示するしか生きる道が無いのだろう。時間の経過によって、益々統一のチャンスは遠のく様である。

また、核開発による米国などの経済制裁により、経済活動は縮小に向かっている。

一方、国家財政を圧迫する軍備の拡大は、国民生活への影響は計り知れない。二〇二〇年の新型コロナウイルスの流行、その翌年には洪水や農作物の病虫害が全土に発生したのである。この為二〇二二年に、金政権は非常な食糧危機に見舞われると共に、政権内部に於いて権力争いが発生した。

二〇二七年六月、突然北朝鮮ゲリラが三八度線を突破し、韓国に侵攻したのである。局地的に激しい銃撃戦が始まり、一部はソウルの近くまで侵入した。

これを契機として、金政権内部に激震が走り、軍部が頭角を現したのである。同年に軍事クーデターが発生、およそ八〇年に及んだ金政権は崩壊し、新たな軍事政権国家が生まれる事になった。この為、韓国との悲願の統一は、なお一層遠ざかる事になっている。

独立の足かせの　台湾

台湾は、自由と民主主義に支えられた社会である。李登輝総統の言うように、台湾は独立の必要はない。既に中華民国として建国して独立した国家である。

台湾人初の総統となった李登輝（国民党）は、幾多の改革を実施し、現在の民主政治の基礎を築いた。サイレント・レボリューション（静かなる革命）と言われ、短期的に一滴の血も流さず民主的な体制変革を成し遂げた事は、人類史上極めて稀有な事でもある。そして、経済改革による発展は目ざましいものがある。

今では、世界有数の工業国にのし上がったのであり、中国とは比べものにならない程である。世界に飛躍する一方、逃れられない「足かせ」即ち中国共産党の言う中国の省の一つという位置付けである。

これまで中国の文政（言葉で脅す）と武嚇（武力で威嚇する）の二つで圧力を掛けられる中で、台湾は揺れ動いて来た。

二〇二八年には、中国華南地方で新たなコロナウイルスが発生し、アジアを中心に拡大、その為日本や東南アジアの経済不安が高まり株価も大きく下落した。

二〇三六年、中国人民軍は軍事訓練を装い急きょ台湾と尖閣諸島に侵攻、台湾と日本はこれを阻止するために反撃、米軍も加わり激しい戦闘が発生し、民間人も含めて双方に四万七千人余りの死傷者と甚大な被害を受けた。ロシアの仲介により停戦しているが、いまだ火種は残っている。占領は未遂に終わったが、台湾海峡周辺は、非常に危うい状態にあり、今後何時戦闘が再発するかも分からない。

二〇四〇年には中国が歩み寄り、懐柔策として香港の様な形の一国二制度の実施を提案してきた。この為、台北市等大都市でこれに対して抗議デモや騒乱が各地で発生し、一時独立の気運が高まったのである。だが、台湾当局は香港の二の舞を恐れて拒否、協議は不調に終わり、デモも終息している。

台湾は、経済的にも安全保障の面でも日本にとって極めて重要な地域である。

中華民国建国から既に一〇〇年以上を遥かに超えても、未だ先が見えない。

成熟社会のアメリカ

二〇二〇年、共和党トランプ政権は、中国の台頭を阻止する為、保護貿易に傾注し、種種制裁を加えている。

これは、アメリカの知的財産権が不法に漏洩、窃取されているからであるとの事である。これが、反面自国の経済を疲弊させると共に、新型コロナの蔓延により更に経済を圧迫する事になっている。

二〇二一年、民主党バイデン政権に変わるも、なお中国への圧力は続いている。

二〇二七年六月には北朝鮮ゲリラが三八度線を突破して侵攻したが、米軍の派兵する間もなく終わったのである。しかし、その後間もなくして、北朝鮮の金政権は、軍事クーデターによってあっけなく崩壊した。

軍事政権になった事で、アメリカは新たな敵と対峙することになっている。

二〇三〇年になっても、米中貿易摩擦は続いている。その為国内経済が悪化し、人種差別、貧困による暴動が各地で発生している。ニューヨーク株式も暴落し、世界的に不景気の波が押し寄せている。

二〇三一年には、遂にGDP世界一の座を中国に明け渡す事になった。

民主党政権になって幾分米中貿易摩擦は改善に向かうと思われたが、以前の勢いはない。

二〇三六年には、中国人民軍が軍事訓練を装い台湾と尖閣諸島へ同時侵攻し、軍事紛争が発生した。台湾、日本が直ちに応戦、米軍も加勢、激しい戦闘により双方に多数の死傷者が出て大きな戦争になりかけたが、日本、台湾、米軍の反撃により中国人民軍は退散することになった。しかし、台湾海峡、尖閣問題は非常に緊迫した状況にある。今は、一時沈静化しているが、まだ火種は残っている。台湾海峡での軍事衝突は、第三次世界大戦の導火線になるかもしれない。米中は新たな軍拡競争に向かっており、米中貿易摩擦も再燃する事になった。

これを契機として、多国籍企業の国内への回帰現象も始まっている。GDPの低下傾向に変わりはないが、移民による人口増は今も続いており、三・五億人に届こうとしている。世界有数の多民族国家のアメリカは、毎年一〇〇万人に及ぶ合法移民と五〇万人の不法移民が流入しており、労働力としてこの国の底辺を支えてもいる。

今や、サービス部門が七割に達しており、製造業の従事者は約一割に縮小している。かつての製造大国の面影はどこにもない。アイホン等の携帯電話なども殆ど外国、特に中国、韓国などに組み立て委託しており、国内では設計などのソフト部門だけである。

一時はカネでカネを売買している社会と言われたのである。リーマンショックを発生させたサブプライムローンもこれらに近似している。

合法にしろ不法にしろ、多くの移民は、いわゆる３Ｋ職場に主に従事しているが、概して所得は低いままである。この為一部の富裕層、人口の一〇パーセントを占める人々が、五〇パーセント以上の税を納めている状況にあり、いかに貧富の差が大きいかが分かる。貧困は社会不安と犯罪の発生を助長し、特に黒人の犯罪率は極めて高い。加えて銃社会から決別出来ないことから、殺人事件の七〇パーセントで銃が使用されており、負の連鎖が切れる事がない。

この為、監獄の収監者は増加する一方であり、民営の刑務所が地域の雇用を守ると言う、我が国では考えられない事が起こっている。この裏では、銃に関わるロビイストの活動が大きく影響している。

新たなスタートの　ロシア

これまでのロシアの為政者は、その時々に合わせて試行錯誤の統治を進めてきた。その歴史は極めて苦難と波乱に富んだものであった。

しかし、いずれの国もスタート時は皆良く似たものである。そして、国の運営の良し悪し、発展の過程は行き着くところ、国民の資質、統治者の器量による処が極めて大きい。加えて、その国の置かれた環境や国土の大きさ、資源量、人口の多寡も大きく影響する。

ロシア経済は、原油や天然ガスの輸出で支えられており、資源大国と言われている。人口は減少傾向で一人当たりのＧＮＰも低い。一方、宇宙産業や軍事技術は高度であるが、民生品製造では遅れている。

原油や天然ガスの輸出先として、日本は好立地にあり企業誘致や技術提携を進めている。日本にとっても近くの原油や天然ガスは、輸送費の点からも魅力があり、エネルギー安全保障の面からも少しずつ貿易が拡大している。

ソ連崩壊後のロシアは、それまでの社会主義社会の残滓が国政に大きな影響を与えている。

国内では、腐敗や汚職が蔓延し、巨大国営企業はエネルギー効率や生産性の低さを引きずっており、原材料頼りの石油価格に左右される状況にある。

製造業は育たず製品輸入が増加している。加えて、国民の貧富の差は激しく、若者の海外流出も増加している。

資本主義国の仲間入りはしたものの、共産主義時代の意識が根強く残っており、真の民主主義の確立には、道半ばである。それは政治や経済のあらゆる分野に認められる。

元KGBスパイと言う強面のプーチンや彼の取り巻きは、民主主義とは程遠い状況の中で暗躍しており、腐敗の温床になっている。この為、政権の目指すべき方針や活力は一進一退で、新たな民主主義社会の創造には、相当の年月を必要とするだろう。

基幹産業を国有化、巨大化すると共に、兵器、原発、造船、航空機製造などを一本化の上推進しようとしている。また、資源は外国の企業に委ねる事は拒んでいる。そのやり方は、グローバル化や民営化に逆行するものになっている。

第二次大戦では、最大の犠牲者を出して戦勝国となったのであるが、その為西欧とは未だ外交が不十分で経済的結びつきも弱い。しかし、旧ソ連の国々とは、親近感と共に政治、経済関係を温存しており、あわよくば併合できるとの思惑を持っている。

一方、旧ソ連から独立した国々も体制が不十分で経済的にも低迷しており、政治的にも確固としたものになっていない事から、極めて流動的でもある。

新政権となったプーチンは、旧ソ連時代の考え方をなお持ち続けている。

彼は冷徹で情報重視、実利主義、国益優先のナショナリストでもある。そのため、旧ソ連の再統合を目論むとともに、新たに軍事力を復活することで、近隣国に影響力を強めている。かつての大国の再現を視野に入れているのである。

その為、ドイツ、イタリア、日本はロシアにとって極めて重要な国になっている。我が国とはもっぱら資源貿易に終始して来たのであるが、最近は機械、プラント、IT関連などの先端技術の輸出も回復傾向にある。また、我が国の文化も浸透しており、お茶、お花、和食の文化などソフト部門も定着すると共に、アニメなどサブカルチャーも流行している。

我が国との経済活動は以前よりは飛躍的に発展して来たのであるが、こと領土問題では大きな進展は見られず、平和条約の締結もされていない。しかし、民間交流も活発化している事から、近い将来必ず国交回復出来るものと思う。

今後、大国としての立場から自由と民主主義を重んじる、新たな平和国家の建設に向かって進んでもらいたいものだ。

〈主な参考文献〉

民主主義は終わるのか　山口二郎（岩波新書）
グローバリズムが世界を滅ぼす　エマニュエル・トッド他（文藝春秋）
サイバー時代の戦争　谷口長世（岩波新書）
プロトタイプシティー　高須正和・高口康太（角川書店）

未来への予言
日本と隣国・これまでとこれから

二〇二一年十一月三十日　初版第一刷発行

著　者　福島忠和
発行者　谷村勇輔
発行所　ブイツーソリューション
〒四六六・〇八四八
名古屋市昭和区長戸町四・四〇
電　話　〇五二・七九九・七三九一
ＦＡＸ　〇五二・七九九・七九八四

発売元　星雲社（共同出版社・流通責任出版社）
〒一一二・〇〇〇五
東京都文京区水道一・三・三〇
電　話　〇三・三八六八・三二七五
ＦＡＸ　〇三・三八六八・六五八八

印刷所　藤原印刷

万一、落丁乱丁のある場合は送料当社負担でお取替えいたします。
ブイツーソリューション宛にお送りください。

ISBN978-4-434-29688-8

9784434296888

1920031011006

ISBN978-4-434-29688-8

C0031 ¥1100E

定価(本体 1,100 円＋税)
発行 ブイツーソリューション
発売 星雲社

2036年 台湾、尖閣諸島紛争の行方は
第三次世界大戦の導火線になる。
ロボット人間の逆襲が始まる。ロボ人間
2000万体は適正か。